Chakras

Desbloqueando los 7 chakras para principiantes, desde el chakra raíz hasta el chakra corona, junto con una guía para despertar su tercer ojo y lograr su desarrollo psíquico

Índice

Introducción

El mundo moderno está lleno de lujos y comodidades. Tener una perspectiva materialista "objetiva" parece estar a la orden del día. Se nos aconseja continuamente que mantengamos las emociones a raya, o al menos, que las "gestionemos" para ser "emocionalmente inteligentes".

Algunos de nosotros intentamos estas técnicas de "gestión de las emociones" y, curiosamente, como la mayoría de las cosas en el vasto mundo humano, estas técnicas son imperfectas, funcionan bien a veces y no tan bien en otras ocasiones. Lo mismo ocurre con todo tipo de técnicas "psicológicas" y "relacionadas con la mente".

Sin duda, la mente humana es uno de los aspectos más poderosos que tenemos en nuestro arsenal. Podemos pensar a un ritmo de 100 pensamientos por segundo, pasar de un pensamiento a otro sin darnos cuenta de cómo hemos llegado a él, crear ideas en nuestra cabeza, etc. Puede parecer mundano, pero todos estos son los increíbles poderes de la mente humana.

Ahora, supongamos que hay algo en el mundo que es aún más poderoso que la mente. Supongamos que existe un poder o energía sutil que puede mejorar significativamente la forma en que llevamos nuestras vidas. Y, lo que es más interesante, supongamos también que esta energía está disponible para cada uno de nosotros y que no está al alcance de unos pocos elegidos.

Pues bien, la verdad es que no es necesario "suponer" nada. Esta energía a la que todos podemos acceder está disponible dentro del cuerpo humano. Es una parte integral de nuestro sistema corporal, aunque a un nivel sutil. Solo que nos hemos acostumbrado tanto a buscar placeres materialistas a nivel físico que parece que nos hemos desconectado de esta energía.

Beneficios del manejo de los chakras

En la terminología de los chakras (o centros de energía), esta energía sutil y latente del sistema humano reside en la raíz o el chakra base. A través de varios métodos, cuando aprendemos a despertar esta energía latente y a conducirla hacia arriba a través de los otros seis chakras, podemos ver y experimentar efectivamente cosas que pueden ser consideradas como del "otro mundo".

Aunque las experiencias "de otro mundo" requieren tiempo y mucho esfuerzo (pero son definitivamente posibles para cualquiera de nosotros), incluso despertar la energía dormida e impulsarla hacia arriba a través de un par de chakras puede mejorar significativamente la calidad de su vida y la calidad de sus procesos de pensamiento. Se obtiene claridad acerca de muchas confusiones:

- ¿Por qué yo?
- ¿Qué he hecho para merecer esto?
- ¿Soy el único que comete errores?
- ¿Cómo es que los demás se libran de sus errores?

Preguntas existenciales como las anteriores dejarán de molestarle e irritarle. Le resultará fácil aceptarse y quererse a sí mismo por lo que es. El amor propio es el primer y más seguro paso hacia el amor a los demás.

Cada centro energético o chakra tiene un papel específico en el bienestar general del cuerpo y la mente. Cuando la energía de estos chakras está equilibrada y en armonía con el mundo exterior, esto produce felicidad y estabilidad. Incluso un ligero desequilibrio en estos chakras puede causar estragos. He aquí algunas excelentes razones por las que debe trabajar para conectar con sus chakras y sanarlos:

- Se produce un aumento significativo de su sensación general de bienestar.
- Su capacidad para curarse y recuperarse de las lesiones físicas, mentales y emocionales se ven potenciadas.
- Su sentido de la conciencia, abertura, poder de concentración y memoria mejoran.
- Aprenderá a analizar su comprensión del mundo, sus emociones, sus patrones de comportamiento y actitud y su proceso de pensamiento con una perspectiva positiva.
- Su creatividad recibe un gran impulso porque las barreras que se interponen entre usted y su creatividad interior se derrumban.
- Su sentido de la autoestima, la confianza en sí mismo y el amor propio reciben un impulso.
- A un nivel más fundamental, su fuerza física mejora significativamente.
- Su patrón de sueño se renueva de forma saludable. Su nivel de paciencia aumenta. Su capacidad de perdonar y dejar ir le permite liberarse de cargas emocionales innecesarias.

La historia de la energía sutil

He aquí una analogía simple pero poderosa para explicar el concepto de energía sutil que impregna este cosmos y se encuentra dentro de cada uno de nosotros. Un pececito estaba nadando solo en el océano, disfrutando de los paisajes y sonidos de su hermoso mundo. Oyó a dos peces sabios que conversaban profundamente.

Uno de los dos peces dijo: "¡Oh! El agua debe ser algo maravilloso". El otro respondió: "¡Claro que sí! Me pregunto cuándo podremos experimentar la magia del agua".

El pececito estaba intrigado. "¿Agua?", pensó para sus adentros. "Me pregunto qué es eso. Me pregunto dónde puedo encontrarla". El curioso pececito no dejaba de lado el deseo de conocer y experimentar el agua. Acudió a sus padres, a sus profesores, a sus amigos y a su familia, y todos le dijeron: "¡Oh, sí! El agua es algo mágico que está fuera de nuestro alcance. Quizá si nos esforzamos lo suficiente, podremos acceder a ella alguna vez".

Ahora, nuestro pequeño amigo estaba más allá de la curiosidad. Estaba obsesionada. Buscó por todas partes a expertos en la materia. Finalmente, encontró a un sabio, viejo y arrugado pez que le dijo: "El agua es la misma cosa en la que tú y yo vivimos. Está a nuestro alrededor. Entra y sale de todos nosotros".

"Pero yo no siento que nada entre o salga. Y las cosas que me rodean son las otras criaturas del océano. ¿Dónde está el agua?".

El pez sabio se dio cuenta de que era inútil intentar explicar el concepto de agua de forma teórica. Así que decidió utilizar la ayuda de otro amigo sabio, la ballena. Llevó a nuestro protagonista hasta la ballena y le dijo: "Mi querido amigo, la próxima vez que salgas a la superficie del agua para respirar, ¿podrías llevar a mi alumno contigo? ¡Él quiere ver y experimentar el agua!".

El viejo pez y la ballena intercambiaron miradas significativas, y la simpática ballena aceptó. Nuestro amigo pez siguió a la ballena a todas partes. Pronto llegó la hora de que la ballena tomara aire. Llamó a nuestro amigo y le dijo que se posara en su espiráculo.

La ballena salió a la superficie y dejó escapar una profunda bocanada de aire. Junto con ella, una enorme fuente de agua brotó junto con nuestro amigo. Durante un segundo, se quedó atónito. Al instante siguiente, miró hacia abajo y se dio cuenta: "¡Siempre estuve en el agua!". La simpática ballena atrapó a su alumno en el momento justo, y se salvó sin sufrir grandes daños.

La historia de la energía sutil o espiritual es la misma. Vivimos en ella. Su poder nos rodea y, sin embargo, estamos ciegos a su belleza. La curación y el equilibrio de los chakras se basan en la apertura de nuestros corazones y mentes a la abundancia de energía espiritual disponible para nosotros. Estos mecanismos de curación y equilibrio le enseñan a acceder al poder ilimitado y a utilizarlo para su propio bien y el de los demás.

Este libro es el punto de partida perfecto para cualquiera que desee aventurarse en el mundo de los chakras. Trata los aspectos básicos y poco a poco profundiza en conceptos más complejos. Paso a paso, con una práctica persistente, alcanzará los pináculos de la energía de los chakras accediendo a sus capacidades psíquicas.

Para facilitar la comprensión, este libro está dividido en tres secciones principales y una sección extra, específicamente:

Lo más básico - En esta sección, después de una breve introducción al concepto de puntos de energía y sus significados, aprenderá todo sobre los chakras y cómo funcionan los cuerpos energéticos. Conocerá cómo identificar y comprender cómo y cuál de sus chakras está bloqueado.

Conociendo el sistema de chakras - En esta sección, conocerá cada uno de los chakras, cómo funcionan de forma independiente y cómo operan en conjunto con otros chakras. Cada capítulo de esta sección está dedicado a un chakra.

Sanando sus chakras - En esta sección, usted aprenderá a sanar y equilibrar sus chakras usando múltiples técnicas, incluyendo autoconciencia/meditación, mantras, afirmaciones, técnicas de limpieza usando hierbas, cristales, etc. También aprenderá el yoga de los chakras para equilibrarlos. Si practica estas técnicas diariamente, pronto se dará cuenta de los beneficios de activar todos sus chakras y aprovechar sus poderes en su beneficio.

También aprenderá a crear rutinas diarias que le enseñen a abrir, cerrar y conectar a tierra sus chakras.

Sección extra - En esta sección, siempre y cuando haya perfeccionado el equilibrio y la purificación de la energía de sus chakras, encontrará técnicas que pueden ayudarle a despertar el chakra del tercer ojo, que es el centro de las habilidades psíquicas.

Lo más básico

Capítulo 1: ¿Qué son los chakras?

En sánscrito, una antigua lengua india, chakra significa rueda o círculo. Desde la antigüedad, los rishis indios utilizaban ciertos puntos focales de energía (o chakras) situados por todo el cuerpo humano para diversas prácticas de meditación denominadas colectivamente tantra, el aspecto esotérico del hinduismo.

Estos puntos focales de energía se consideraban visualizaciones meditativas con mantras y flores. Algunos textos se refieren a estos puntos de energía como entidades físicas también. El kundalini yoga, una antigua práctica meditativa india, combina ejercicios de respiración, visualizaciones, kriyas, mudras, bandhas y mantras para manipular el flujo de energía a través de los chakras.

Los chakras según el hinduismo

El concepto de chakras se remonta a un himno del Rigveda, el texto védico más antiguo. Este himno describe a una yogini femenina llamada "kunamnama", que se traduce como "la que está enroscada y doblada". Este concepto de la yoguini enroscada y encorvada se considera tanto una diosa como uno de los muchos enigmas y acertijos esotéricos incrustados en el antiguo texto hindú.

Los Upanishads, otro importante texto hindú fechado por muchos estudiosos en torno al año 1 a. C., describen los canales de energía o nadis, aunque son bastante diferentes de las teorías de los chakras basadas en la energía psíquica. Los Upanishads mencionan los chakras como "vórtices psicoespirituales" junto con la fuerza vital (o prana) que recorre el cuerpo a través de los nadis. En los textos medievales hindúes y budistas se mencionan los chakras como importantes chakras energéticos.

Según las creencias hindúes, la vida humana existe en dos dimensiones paralelas: los cuerpos físico y no físico. El cuerpo físico es masa y el cuerpo sutil es energía. El término sánscrito para el cuerpo físico es "sthula sharira", y el cuerpo no físico más sutil relacionado con las emociones y los aspectos psicológicos se llama "sukshma sharira". Los cuerpos físico y no físico interactúan y afectan al funcionamiento del otro.

El cuerpo sutil comprende canales de energía o nadis conectados por chakras (nodos de energía psíquica). Estos canales de energía están relacionados con la psique. Son invisibles pero reales. El prana (aliento o fuerza vital) fluye a través de los chakras y los nadis.

El concepto de prana no se limita solo a la "respiración" en hindú. El prana incluye muchos más elementos e ideas complejas relacionadas con la respiración, la mente, las emociones y la energía sexual. El prana es la esencia de la vida y se desvanece cuando una persona muere. Es la fuerza que anima el cuerpo bruto. Algunos textos hablan de que el prana es atraído hacia el interior por nuestro cuerpo sutil durante el sueño.

Muchos textos se refieren a un número diferente de chakras primarios y secundarios (algunos textos hablan de 88.000 chakras en todo el cuerpo sutil). Se cree que los siete chakras importantes (en los que se centra este libro) están dispuestos en una columna desde la base de la médula espinal hasta la parte superior de la cabeza. Los canales de energía verticales conectan los siete puntos energéticos nodales.

Junto con los nadis, estos centros energéticos están siempre presentes en el cuerpo sutil y desempeñan un papel esencial en la conexión con nuestras energías emocionales y psíquicas. Los sistemas tántricos diseñaron varios ejercicios de respiración y posturas yóguicas para activar, energizar y despertar la energía de los chakras. Además, cada chakra está conectado a sistemas fisiológicos específicos del cuerpo humano. Cada chakra tiene una sílaba semilla o "bija mantra". Algunos chakras también están asociados a determinados dioses y diosas, colores y otros símbolos y motivos.

Los principiantes empiezan a practicar los ejercicios de los chakras utilizando elementos tangibles como mantras, imágenes de dioses y diosas, diagramas, imágenes de mandalas, etc. A medida que los practicantes se vuelven cada vez más adeptos a las técnicas de meditación, abandonan poco a poco todos los elementos tangibles y emplean elementos abstractos.

La metodología de los chakras forma parte de una tradición hindú llamada shaktismo, que incluye en su práctica yantras, kundalini yoga y mandalas. Según el shaktismo, hay siete nodos energéticos en el sistema de chakras. Los otros seis nodos energéticos están asociados a seis yoguinis o diosas veneradas, excepto el chakra de la corona.

- El chakra raíz - Muladhara - Dakini
- El chakra sacro - Svadhisthana - Rakini
- El chakra del plexo solar - Manipura - Lakini
- El chakra del corazón - Anahata - Kakini
- El chakra de la garganta - Vishuddhi - Shakini
- El chakra del tercer ojo - Ajna - Hakini
- El chakra de la corona - Sahasrara

Los chakras en el budismo

Los sistemas budistas tradicionales describen cuatro chakras: Ushnisha kamala (chakra de la corona), vishuddha (garganta), anahata (corazón) y manipura (ombligo). En la tradición nyingma del budismo tibetano, el concepto y el diseño del sistema de chakras se utilizaron para lograr la conciencia de los diferentes niveles del cuerpo en orden creciente de sutileza.

- Nirmanakaya - el ser bruto, físico
- Sambhogakaya - el yo sutil

- Dharmakaya - el yo causal
- Mahasukhakaya - el yo no dual

Los chakras desempeñan un papel vital en el budismo tibetano, y estos centros de energía son elementos fundamentales en la forma en que se diseñan y practican las prácticas tántricas. El budismo tibetano estaría incompleto sin los chakras. La forma más elevada de la práctica de la meditación en el budismo tibetano es la capacidad del practicante de alinear los nodos de energía sutil con el canal de energía central para penetrar en la realización de la realidad última o el concepto universal, sin principio y sin fin de la sabiduría o rigpa.

La práctica de la Nueva Era de abrir y equilibrar los chakras se introdujo en el mundo occidental en la década de 1880. El libro de Sir John Woodroffe "El poder de la serpiente" (1919) y el libro de Charles W. Leadbeater "Los chakras" (1927) popularizaron el concepto en el mundo occidental. Gavin Flood, estudioso británico de la religión comparativa especializado en las tradiciones del sur de Asia, se centra en el shaktismo y el shaivismo. Los seis chakras y el sahasrara (el chakra de la corona) aparecieron por primera vez en un texto del shaivismo del siglo XI titulado "Kubjikāmata-tantra". Sir John Woodroffe tradujo el sistema de chakras de este texto del siglo XI en su famoso "El poder de la serpiente".

Los siete chakras primarios

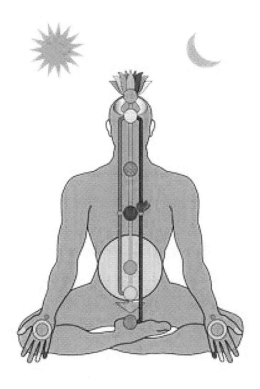

Tradicionalmente, los chakras se consideran ayudas para la meditación. Los practicantes empiezan por los chakras inferiores y ascienden hasta llegar al chakra de la corona, que se cree que florece cuando la conexión pránica lo toca. Los chakras representan la interiorización del ascenso espiritual. La energía espiritual latente yace o reside en el chakra más bajo en forma de serpiente enroscada. A través de diversas prácticas, los practicantes despiertan esta energía y la conducen hacia arriba a través de los siete chakras.

A continuación, se presenta un breve esquema de cada uno de los siete chakras dispuestos verticalmente a lo largo del sushumna nadi o canal axial central. Puede usar la imagen de arriba para entender su ubicación en el cuerpo humano.

El chakra raíz - El nombre sánscrito de este centro energético es muladhara. Está situado en la base de la columna vertebral (representado por el punto naranja en la imagen anterior). La energía kundalini femenina latente en forma de serpiente enroscada descansa en este chakra. La serpiente se enrosca alrededor de un svaymabhu lingam (que se eleva por sí mismo), el símbolo de Shiva.

El chakra raíz se representa como un loto de cuatro pétalos con un cuadrado en el centro que representa el elemento tierra. El bija mantra (o sílaba semilla) para el muladhara es **LAM**, que representa el elemento tierra. Todas las palabras, mantras y sonidos en su estado latente residen en el chakra raíz.

El chakra sacro - El nombre sánscrito de este chakra es svadhisthana, que se traduce como "donde se establece el yo". Es la sede de los órganos sexuales, y su símbolo es el de un loto de seis pétalos con una luna creciente en el centro que representa el elemento agua. La versión de shakti asociada al chakra sacro es rakini. El bija mantra de svadhithana es **VAM**, que representa el elemento agua.

En las tradiciones budistas, el chakra raíz se llama nirmana, el loto de la creación que representa las cuatro nobles verdades, a saber:

- El sufrimiento o "dukkha" es una característica inherente al samsara, el ciclo de nacimiento y muerte.
- El origen del sufrimiento es el deseo o apetencia.
- La liberación del sufrimiento puede lograrse abandonando el deseo.
- El noble óctuple camino es la vía de la renuncia y la liberación del sufrimiento.

Por lo tanto, canalizar la energía del chakra sacro puede llevarle potencialmente a la iluminación y a la liberación del sufrimiento.

El chakra del ombligo - Conocido como manipura o la "ciudad de las joyas" en sánscrito, el chakra del ombligo se describe como el punto medio en el camino del autodescubrimiento. Situado en la zona del ombligo, su símbolo es un loto de diez pétalos en cuyo centro hay un triángulo apuntando hacia abajo que representa el elemento fuego, y su bija mantra es RAM. Lakini es la shakti asociada a manipura.

El chakra del corazón - Conocido en sánscrito como anahata, el chakra del corazón está situado en la zona del corazón, como queda claro por su nombre. Su símbolo es un loto de 12 pétalos. En el centro de este loto, dos triángulos se cruzan para formar un hexagrama. Esta intersección simboliza la unión de los aspectos masculino y femenino de la vida.

El elemento de anahata es el aire, y su bija mantra es YAM. La shakti asociada al chakra del corazón es kakini. En el budismo, este chakra se llama "dharma" y representa la naturaleza esencial de toda la realidad.

El chakra de la garganta - Conocido como vishuddha en sánscrito, el chakra de la garganta está representado por un loto de 16 pétalos en cuyo centro hay un triángulo que apunta hacia abajo. En el centro del triángulo hay un círculo. El chakra de la garganta se ocupa del elemento espacio (akasha), y su bija mantra es HAM. La shakti asociada a vishuddha es shakini.

El chakra del tercer ojo - El nombre sánscrito de este chakra es ajna o agya. Es el centro de mando en términos de tantra y está situado en el centro de la frente entre las cejas. Es la sede de la energía sutil. El gurú tántrico toca este chakra durante el ritual de iniciación llamado shaktipata y ordena a la energía kundalini despierta que pase por este centro energético. Su símbolo es un loto de dos pétalos, y su sílaba semilla es OM o AUM.

El chakra de la corona - Este chakra está representado por un loto de mil pétalos y es la sede de la conciencia pura. Cuando la conciencia se realiza en este chakra, no hay objeto o asunto separado. Todo se funde en uno. Cuando la kundalini shakti femenina se eleva desde el chakra de la raíz y llega al chakra de la coronilla, se une con la energía masculina de Shiva, dando como resultado la autorrealización y el samadhi.

Algunas personas toman el OM como la sílaba semilla del chakra de la corona, mientras que muchas otras creen que esta forma más elevada del centro de energía espiritual no tiene un mantra bija. En cambio, se asocia con el silencio.

Los bija mantras y su significado

Los bija mantras o sílabas semilla son sonidos monosilábicos. Cuando se pronuncian en voz alta, la energía del chakra específico con el que se asocia la sílaba semilla resuena con ella, ayudando a la autoconciencia y al autodescubrimiento. El sonido de estas sílabas también purifica y equilibra el cuerpo y la mente.

Un bija mantra es la forma más corta del mantra. Bija significa semilla, y el significado de este nombre es que cuando se siembra la semilla del mantra en la mente, esta puede crecer hasta convertirse en un árbol gigantesco. Cantar mantras semilla aporta mucha positividad a la mente y al espíritu del practicante. El mantra semilla asociado a cada chakra forma parte de casi todas las técnicas de limpieza y equilibrio de los chakras. Por lo tanto, asegúrese de aprender los mantras semilla correspondientes a los siete chakras.

Capítulo 2: El aura y los cuerpos energéticos

No somos solo nuestro cuerpo físico. Somos más que eso. También estamos formados por capas de sistemas de energía sutil, cada una de las cuales vibra a diferentes frecuencias de energía.

La energía sutil no puede medirse con las herramientas científicas conocidas en el mundo tangible. Sin embargo, tiene un profundo efecto en el mundo físico. Es la fuerza organizadora de todo el cosmos, y es esta energía sutil la que anima todo en el mundo físico o de la materia.

Un cuerpo sutil de energía o "shuksmasarira" en sánscrito es una parte del ser humano que no es ni totalmente física ni totalmente espiritual. Las primeras menciones al concepto de cuerpo energético sutil se encuentran en los Upanishads. El Taitiríia-upanishad describe cinco envolturas interpenetradas de niveles de energía, cada una más sutil que su predecesora. Las cinco envolturas de energía descritas en el Taitiríia-upanishad incluyen:

- El ana-maya o el "cuerpo alimenticio", es el cuerpo físico, el nivel más burdo.
- El prana-maya o el "cuerpo de prana", es el cuerpo de la fuerza vital.

- El mano-maya o el "cuerpo de la mente".
- El vijnana-maya o el "cuerpo de la conciencia".
- El ananda-maya es el nivel más sutil del sistema energético, el "cuerpo de la dicha".

Además, los textos védicos describen cinco tipos de respiraciones o "vientos" que forman la fuerza vital. Estas cinco respiraciones incluyen:

- Prana - aliento asociado a la inhalación.
- Apana - aliento asociado a la exhalación.
- Udana - relacionado con la distribución del aliento por todo nuestro cuerpo.
- Samana - la respiración relacionada con nuestro sistema digestivo.
- Vyana - relacionado con la excreción de residuos del cuerpo.

Los ojos físicos no pueden ver estos cuerpos sutiles. Sin embargo, se pueden sentir, ver y experimentar psíquicamente a través del tercer ojo. Así que la siguiente pregunta es si nuestros sistemas de energía sutil y nuestros cuerpos físicos están conectados. La respuesta a esta pregunta es sí. Nuestros sistemas de energía física y sutil están profundamente interconectados.

El cuerpo físico también está formado por sistemas energéticos que vibran a frecuencias tan bajas que parecen entidades físicas sólidas. Hemos sido entrenados para centrarnos en este "sistema energético físico" porque es la entidad más evidente para nosotros. Gracias a esta formación tan arraigada, hemos olvidado que este "sistema de energía física" proviene de sistemas de energía que están fuera del ámbito de nuestra experiencia y percepción ordinarias, y se sustenta en ellos.

Los cuerpos energéticos sutiles y los puntos energéticos forman juntos un campo energético interconectado alrededor de nuestros cuerpos físicos. Este campo energético se denomina comúnmente campo áurico o, más comúnmente, nuestra aura. Cada uno de los puntos energéticos se conecta con el cuerpo físico a través de un chakra o punto energético. La energía de los cuerpos sutiles se dirige al cuerpo físico a través de estos puntos energéticos.

Por lo tanto, el sistema energético humano está formado por el cuerpo físico y las capas de cuerpos energéticos sutiles interconectados a través de los chakras o puntos energéticos. Los chakras actúan como puertas de entrada, permitiendo que la fuerza vital entre en el cuerpo físico a través de los meridianos nerviosos y los nadis. Además, los chakras actúan como puntos de salida a través de los cuales la energía de baja frecuencia se libera dentro del cuerpo sutil para su actualización y transmutación.

Existen numerosos puntos de intercambio de energía en nuestro cuerpo. Sin embargo, los más importantes son los siete chakras alineados a lo largo de la columna vertebral, empezando por el chakra base o raíz hasta el chakra corona. Cuando estas puertas energéticas funcionan bien y el intercambio de energía se produce sin problemas, la fuerza vital o prana energiza todos los aspectos de nuestro cuerpo y nuestra mente, manteniéndonos equilibrados, felices y en paz.

El cuerpo físico depende en gran medida de la fluidez de la fuerza vital o prana para lograr un bienestar óptimo. Sin embargo, los chakras no siempre están libres, y la energía que contienen puede desequilibrarse y volverse impura. Esto puede ser provocado por múltiples factores, como patrones de pensamiento rígidos y negativos, diversos tipos de toxinas mentales, emocionales y físicas, emociones negativas, etc.

Por otra parte, los siete chakras, además de mantener el flujo fluido de la fuerza vital, también representan un nivel más profundo de conciencia que le ayudará a elevarse espiritualmente.

Los siete cuerpos sutiles

Como ya se ha mencionado, los cuerpos sutiles son aquellos niveles de energía que vibran más allá del cuerpo físico. Estos cuerpos sutiles se pueden envasar psíquicamente con la ayuda del tercer ojo y con la ayuda de la fotografía Kirlian. A medida que se aleja de su cuerpo físico, notará que cada capa del cuerpo sutil vibra a una frecuencia más alta que la que le precede.

El cuerpo etérico vibra a un ritmo más rápido que el cuerpo físico, mientras que el cuerpo emocional vibra a un ritmo más rápido que el cuerpo etérico. Además, cada uno de estos cuerpos sutiles está interconectado, y los sistemas energéticos se interpenetran para que todo funcione en el marco de un sistema energético completo.

Los siete cuerpos sutiles comienzan en el cuerpo físico y se extienden hacia afuera como siete capas diferentes en su campo energético áurico. Estos siete cuerpos sutiles, cada uno de los cuales se correlaciona con los siete chakras, son:

- El cuerpo etérico
- El cuerpo emocional
- El cuerpo mental
- El cuerpo astral
- El cuerpo etérico moldeado
- El cuerpo celestial
- El cuerpo causal

Además, cada uno de los siete cuerpos sutiles está dotado de su propio conjunto de siete chakras que facilitan la distribución y transmutación de la energía dentro del campo áurico. Esta interconexión entre los cuerpos sutiles y el cuerpo físico es la razón por la que el reiki y otros sanadores energéticos pueden impactar positivamente en el cuerpo físico trabajando con la energía de los cuerpos sutiles.

Veamos cada uno de estos cuerpos sutiles con un poco más de detalle.

El cuerpo etérico - Cada aspecto de nuestro cuerpo físico tiene una contraparte etérica. El cuerpo etérico, que está vinculado al chakra raíz, es la fuente del plano energético de nuestro cuerpo físico. Este cuerpo sutil más interno, con la frecuencia vibratoria más baja, se extiende a solo un par de centímetros de su cuerpo físico, y es el que más impacta en él. Esta red vibratoria de energía no es visible para el ojo ordinario, pero juega un papel integral en nuestro bienestar físico, emocional y mental.

La fuerza y la vitalidad de nuestro cuerpo etérico pueden verse mermadas y socavadas por diversos factores debilitantes, como los traumas, los golpes y el abuso de sustancias. Además, los conflictos no resueltos pueden afectar al buen funcionamiento de nuestro cuerpo etérico. Cuando nuestro cuerpo etérico no funciona de forma óptima, su impacto también se siente en otros cuerpos sutiles.

El cuerpo emocional - Más allá del cuerpo etérico se encuentra el cuerpo emocional, que vibra a una frecuencia más alta que la del cuerpo etérico. Nuestro cuerpo emocional, que se extiende hasta unos cinco centímetros de nuestro cuerpo físico, contiene todos nuestros sentimientos y emociones, incluidos los que surgen de los conflictos no resueltos y los problemas que arrastramos de nuestras vidas anteriores.

Los recuerdos y patrones almacenados en nuestro cuerpo emocional son los principales responsables de nuestras actitudes, comportamientos y respuestas en esta vida. Curiosamente, nuestro cuerpo emocional no reconoce el tiempo y funciona fuera del ámbito y del concepto de tiempo. Por eso, a menudo vemos que nuestras respuestas y comportamientos emocionales no están sincronizados con los acontecimientos actuales de nuestra vida.

Nos comportamos, respondemos y reaccionamos desde nuestro cuerpo emocional basándonos en los desencadenantes de nuestras experiencias pasadas, tanto en esta vida como en las anteriores. A menudo, nuestras respuestas emocionales se basan en conflictos y problemas no resueltos que llevamos en nuestro cuerpo emocional. Estos conflictos y problemas se traen a esta vida a través de nuestra alma y nuestras facultades mentales con la esperanza de buscar una solución en la vida actual.

Nuestro cuerpo emocional está conectado con el chakra sacro. La energía emocional es tan poderosa que potencia nuestras intenciones y pensamientos. El cuerpo emocional es la parte de nuestra aura que cambia de color según nuestros pensamientos y emociones. Los conflictos y problemas no resueltos en el cuerpo emocional se manifiestan de las siguientes maneras:

- Actitud argumentativa
- Depresión y ansiedad
- Emociones muy volátiles

El cuerpo mental - Todos nuestros procesos mentales y patrones de pensamiento se reciben, almacenan y transmiten a través de nuestro cuerpo mental. Conectado al chakra del plexo solar, el cuerpo mental transporta nuestros pensamientos que, a su vez, son responsables de las realidades que creamos. Por lo tanto, cuidar los pensamientos que tenemos es fundamental para la forma en que resulta nuestra vida.

Los pensamientos y las emociones crean juntos la realidad de nuestras vidas, convirtiéndonos en los creadores de nuestro destino. Tenemos que vigilar cuidadosamente nuestro subconsciente (y los pensamientos conscientes) almacenados y transmitidos a través de nuestro cuerpo mental.

El cuerpo mental se extiende a unos 3 a 8 pulgadas de nuestro cuerpo físico. Nuestro cuerpo mental es un conducto para recibir luz, información e inspiración espiritual de nuestra alma. Sin embargo, debemos mantener el chakra del plexo solar libre, desbloqueado y abierto para que esto ocurra. Además, el cuerpo mental superior funciona como un filtro para los viejos patrones kármicos y la información de vidas pasadas antes de pasar a nuestra conciencia actual. El cuerpo mental es responsable de:

- Todos nuestros procesos mentales, incluyendo los pensamientos.
- El uso de nuestra imaginación.
- Reunir y almacenar información.
- La memoria.

El cuerpo mental se relaciona frecuentemente con el color amarillo, especialmente cuando alguien está sumido en sus pensamientos. Sin embargo, cambia de color dependiendo de nuestras emociones.

El cuerpo astral - El cuerpo astral es el puente entre el mundo físico y los reinos espirituales. Se extiende hasta unos 30 centímetros del cuerpo físico. Los tres cuerpos sutiles anteriores, es decir, el cuerpo etérico, el emocional y el mental, vibran a bajas frecuencias y son energéticamente bastante densos, ya que se experimentan en el reino físico.

Por otro lado, el cuerpo astral trasciende el reino físico y conecta los niveles de energía bruta con los reinos espirituales. Le permite explorar los planos no físicos de la conciencia y le faculta para entrar y explorar los reinos espirituales. Sin embargo, el cuerpo astral está estrechamente ligado al cuerpo emocional y a menudo está marcado por las emociones y los pensamientos contenidos en el cuerpo emocional. El cuerpo astral se utiliza para los siguientes propósitos:

- Experiencias extracorporales
- Proyecciones astrales
- Salto cuántico

El cuerpo etérico moldeado - Este cuerpo energético sutil se extiende hasta unos 60 centímetros de su cuerpo físico. También es el plano de nuestro cuerpo físico. Surge mucho antes de que se forme nuestro cuerpo físico. El cuerpo etérico moldeado es la parte de su energía que existe en realidades paralelas. Este cuerpo energético sutil puede ser beneficioso para la curación profunda.

El cuerpo celestial - El cuerpo del alma contiene la esencia de nuestro espíritu o nuestro aspecto divino. El cuerpo del alma contiene todas nuestras visiones e inspiraciones espirituales. Nuestra alma se conecta con el momento presente cuando estas visiones e inspiraciones pasan por los chakras inferiores. El cuerpo celestial nos conecta con la presencia divina cósmica a través del chakra del corazón.

Le permite alcanzar ese nivel de conciencia e interconexión cósmica en el que está alineado con el universo y su energía. La frecuencia en la que vibra el cuerpo celestial es la misma que la dicha pura, el amor incondicional y la alegría.

El cuerpo celestial existe puramente en el reino espiritual. Es posible conectar con él a través de técnicas de meditación profunda cuando los cuerpos energéticos inferiores están en completo reposo.

El cuerpo causal - El cuerpo causal se encuentra más allá del cuerpo mental superior y está conectado a nuestro chakra de la garganta y al chakra causal situado en la parte posterior de la cabeza. El chakra causal es la puerta de entrada a los planos superiores de conciencia y vincula nuestra personalidad con la conciencia colectiva, cósmica.

El cuerpo causal se ve como siete círculos concéntricos de luz arco iris y contiene todos los elementos reales y perdurables sobre nosotros. Los brillantes círculos concéntricos de luz arco iris reflejan los logros espirituales de nuestra alma. Todos los talentos y dones que hemos acumulado en nuestros nacimientos y vidas anteriores se almacenan en el cuerpo causal para ser transferidos a través de nuestra alma cuando surja la necesidad en la vida actual.

También conocido como el cuerpo del alma, el cuerpo causal contiene toda la información de los seis cuerpos sutiles inferiores y del cuerpo físico. En este nivel, todos los cuerpos sutiles y el cuerpo físico se funden en uno. Esta capa de energía sutil contiene todos los principios espirituales integrados para que un individuo pueda trabajar con algunos o todos estos principios. El cuerpo espiritual integrado está conectado con el chakra de la corona.

Cuando está conectado con su cuerpo causal, reconocerá y se dará cuenta de que es uno con lo divinidad cósmica. Además, el cuerpo causal es el que está involucrado en el renacimiento y las reencarnaciones. Al final de cada vida, el cuerpo causal recoge y almacena la información de los cuerpos sutiles inferiores y la transporta a la siguiente vida. A menudo, cuando las personas se conectan con sus vidas anteriores a través de la hipnosis, esto sucede a través del cuerpo causal.

Puntos de energía sutil

Existen múltiples puntos de energía dentro de nuestro sistema de energía sutil, cada uno con su función y propósito. Estos puntos de energía sutil se suman a los siete chakras primarios. Los cuatro puntos de energía sutil más importantes son:

- La estrella de tierra
- El hara
- El punto del timo
- La estrella del alma

La estrella de tierra - La estrella de tierra es un punto de energía sutil que se encuentra a 15 centímetros desde la superficie de la tierra. Se alinea perfectamente con el chakra raíz y el punto hara, el segundo punto de energía sutil. La estrella de tierra es un elemento esencial en nuestro campo áurico porque representa nuestra alineación con el campo magnético de la Tierra. Cuando este punto de energía sutil funciona bien, nos resulta fácil conectarnos a tierra y utilizar nuestra energía con eficacia.

La estrella de tierra es el principal punto de conexión a tierra para nosotros. Solo cuando estamos bien enraizados a través de la estrella de tierra, podemos conectar plenamente con nuestros reinos multidimensionales y otras esferas, incluyendo los planos ascendidos de conciencia.

El hara - Este punto de energía sutil está situado justo debajo del ombligo y se alinea con la estrella de tierra y el chakra raíz. El hara es diferente del chakra sacro. Un punto hara bien equilibrado y sin límites nos ayuda a seguir nuestra voluntad divina, dándonos así un profundo sentido de propósito y realización en nuestras vidas. Un punto hara desbloqueado también es indicativo de que nuestro cuerpo físico está centrado y enraizado.

El punto timo - Este punto crítico sutil es un estimulador de la compasión y el amor incondicional. En los primeros días de la civilización humana, el punto de energía sutil del timo era totalmente funcional. Los antiguos sabios reconocieron el punto del timo como el chakra del "corazón superior" y lo reconocieron como el punto central del despliegue de nuestro desarrollo espiritual.

La estrella del alma - La estrella del alma se encuentra por encima del chakra de la corona y está alineada con nuestra alma. Además, este punto crítico de energía sutil está alineado con los reinos superiores de la conciencia, los otros sistemas estelares y el cosmos entero. Cuando la estrella del alma se activa, su personalidad tiene acceso al suministro ilimitado de energía del alma junto con la luz cósmica y la orientación.

Los cuerpos sutiles de energía se discuten con toda la seriedad científica en el campo de la física cuántica hoy en día. Los físicos cuánticos han estudiado los efectos de la energía sutil por lo que aceptan y reconocen su existencia, aunque todavía no se hayan inventado instrumentos científicos para medirla. Las tradiciones antiguas llevan siglos utilizando el poder de la energía sutil y el poder áurico de un individuo en los rituales de curación.

En resumen, la energía sutil o prana es la energía vital que trasciende el espacio físico y conecta toda la vida. El movimiento y el flujo de la energía sutil desempeñan un papel especialmente importante en el bienestar físico, mental y emocional de un individuo. El desequilibrio y el estancamiento de la energía sutil pueden causar diversas enfermedades y dolencias.

En la anatomía sutil yóguica (comparable a la anatomía física ordinaria evidente para todos nosotros), existen cinco tipos diferentes de sistemas energéticos:

- Chakras (los siete puntos de energía)
- Bandas (los tres sellos energéticos) - que incluyen el bloqueo de la raíz (mula), el bloqueo abdominal (uddiyana) y el bloqueo de la garganta (jalandhara). Estos sellos o cerraduras energéticas se utilizan para impedir la salida de la fuerza vital de nuestro cuerpo físico.
- Koshas (los siete cuerpos energéticos sutiles)
- Gunas (las tres fuerzas primarias) - tamas (estancamiento, oscuridad, sin movimiento), rajas (crecimiento, movimiento y actividad) y sattva (claridad, equilibrio y estabilidad).
- Prana vayu (energía vital o aliento vital)

Las interacciones entre estos cinco sistemas energéticos forman la anatomía sutil. Saber cómo funcionan en tandem y cómo dependen los unos de los otros le ayuda a llevar una vida feliz y satisfactoria, garantizando el bienestar físico, mental y emocional.

Capítulo 3: Identificación de los bloqueos energéticos

Cada chakra tiene su función y propósito. Cada punto de energía tiene que estar equilibrado y libre para que el flujo de energía sea libre, resultando en la función óptima del chakra y sus aspectos físicos relacionados. Por ejemplo, el vishuddha chakra o el chakra de la garganta controla y mantiene las zonas del oído, la nariz y la garganta.

Normalmente, la energía de un chakra se bloquea de dos maneras, concretamente:

• Cuando hay un flujo de energía insuficiente que hace que el chakra esté poco activo.

• Cuando hay un flujo excesivo de energía que hace que el chakra esté hiperactivo.

En ambos casos se produce un desequilibrio en el sistema energético. Si hay un desequilibrio energético en este punto de energía, puede sufrir varias dolencias relacionadas con la zona de la garganta. Por ejemplo, si sufre frecuentes resfriados y tos o tiene a menudo dolores de garganta, podría significar que el flujo de energía en el chakra de la garganta está desequilibrado o entorpecido. Así, los bloqueos energéticos en cada chakra pueden causar problemas relacionados con los planos mental y físico de la existencia.

De hecho, el chakra de la garganta va más allá del malestar físico. ¿Ha notado algo cuando se discuten temas con los que se siente incómodo? Es probable que, sin saberlo, se haya aclarado la garganta. Esto se debe a que el chakra de la garganta es un punto de energía vital que mantiene y equilibra mucho más que las zonas del oído, la nariz y la garganta.

Cuando escuchamos una verdad desagradable que intentamos evitar encontrarnos de frente, a menudo acabamos carraspeando o tosiendo como reconocimiento involuntario de las sensaciones incómodas que estamos experimentando. Por lo tanto, el chakra de la garganta está conectado con algo más que la garganta. Está asociado a la supervivencia y a aspectos del dolor y el placer.

La energía de nuestro chakra de la garganta refleja la forma en que hemos sido entrenados para hablar durante nuestra infancia. Supongamos que nuestros padres o cuidadores nos reprimieron para que dijéramos lo que pensábamos. En ese caso, es probable que el cuerpo, o el chakra de la garganta, en particular, se entrene para protegernos del daño al no permitirnos ser abiertos y transparentes en nuestra comunicación.

Nuestro chakra de la garganta se bloquea automáticamente y la energía se bloquea si creemos que decir la verdad nos meterá en problemas. Si, como adulto, tiene un problema para decir la verdad sin miedo y sin vacilar, entonces podría ser un problema de la infancia relacionado con la comunicación no resuelto.

Comprender los bloqueos en los chakras

Entonces, ¿qué significa que la energía de sus chakras esté bloqueada? Significa que la energía en ese punto está atascada o entorpecida. Podría pensar en un chakra bloqueado como una arteria o vena bloqueada donde el flujo de sangre se interrumpe u obstruye. Los chakras bloqueados son como atascos que impiden el movimiento fluido de la energía a través de su sistema. Los bloqueos energéticos en sus chakras pueden tener su origen en problemas emocionales, espirituales, físicos, kármicos o psicológicos.

Los bloqueos físicos son literalmente de naturaleza física. Por ejemplo, podría haber un tumor, un quiste o un exceso de toxinas acumuladas en su cuerpo físico, que podrían obstaculizar el flujo de energía en sus chakras. Los bloqueos energéticos físicos pueden producirse por alguna de las siguientes razones o por todas ellas:

- Mala elección de la dieta
- Sobreesfuerzo
- Falta de ejercicio físico
- Malas elecciones de estilo de vida como el abuso de sustancias, el alcoholismo, la falta de sueño, el exceso de trabajo, etc.

Los bloqueos energéticos en los chakras pueden tener también razones emocionales o psicológicas. Los conflictos no resueltos del pasado o los efectos de las enfermedades mentales pueden provocar bloqueos en los chakras. Las adicciones, la depresión y la ansiedad también pueden causar bloqueos energéticos en su sistema. No abordar viejos traumas emocionales dolorosos es otro factor común para los bloqueos de energía.

Como se ha explicado anteriormente, son múltiples los factores que provocan el bloqueo de energía en un chakra determinado. Tomando el ejemplo del chakra de la garganta como punto de partida. Si, de niño, no se le permitió hablar de sus gustos y disgustos con sus padres o cuidadores, es probable que arrastre este miedo en su vida adulta.

Si, por ejemplo, de niño detestaba el hígado y las cebollas, pero no se atrevía a decírselo a sus padres por miedo a que le gritaran, entonces la energía del chakra de la garganta permanece estancada hasta la edad adulta. Como adulto, cada vez que desee abrirse y decir la verdad, los "peligros" de abrirse delante de sus padres volverán a perseguirle. Su cuerpo entra automáticamente en modo de supervivencia, la energía del chakra de la garganta se atasca y le resulta muy difícil articular sus pensamientos e ideas.

Los bloqueos de naturaleza espiritual tienen su origen en las fuerzas espirituales que influyen en su vida, tanto en su interior como en el mundo exterior. Por ejemplo, si elige ignorar su aspecto espiritual, pueden producirse bloqueos energéticos. Además, si tiende a tener una visión espiritual rígida sin la flexibilidad de aceptar otros sistemas de creencias, entonces sus chakras también podrían bloquearse.

Los efectos kármicos son otra causa común de los bloqueos energéticos. Karma significa "acción" en sánscrito. Hemos estado practicando el karma o realizando acciones con efectos buenos y malos a lo largo de nuestra vida actual y de las pasadas. Por ejemplo, si ha donado dinero a los necesitados, el efecto kármico es bueno. Por otro lado, si ha hecho cosas que han causado dolor o daño a otros, a sabiendas o no, entonces los efectos kármicos son perjudiciales.

El karma es tanto la acción como la consecuencia de la acción realizada. Los bloqueos energéticos pueden ser el resultado de nuestras acciones kármicas pasadas. El buen karma nos favorece, mientras que el mal karma se convierte en deudas que estamos obligados a pagar en esta o en futuras vidas.

La energía bloqueada en los chakras es fácilmente discernible a través de diversos síntomas emocionales, físicos y mentales. Por ejemplo, los síntomas de un chakra raíz bloqueado incluyen desórdenes alimenticios, impotencia, dolor lumbar, indigestión, sentimientos de inseguridad, ira, falta de concentración, etc.

Del mismo modo, los síntomas de un chakra sacro bloqueado son infecciones de la piel, problemas digestivos, infertilidad, depresión, disminución de la libido sexual, adicciones, etc. Los bloqueos energéticos de cada chakra pueden identificarse a través de los síntomas que presentan.

Ir más allá de las terapias tradicionales

Los métodos de curación tradicionales a menudo no ofrecen opciones de tratamiento sanas y completas, especialmente para los problemas de salud crónicos, gracias a la programación subconsciente de nuestros chakras y puntos de energía. Y es por ello que las terapias de curación alternativas, como la curación a través de los chakras, son buscadas por personas a las que los tratamientos tradicionales no les ayudaron.

Los métodos tradicionales de curación se centran en los niveles conscientes de energía que simplemente no son suficientes para sanar la psicosis de los miedos profundamente arraigados y los conflictos no resueltos incrustados en nuestra mente subconsciente. Por suerte, la ciencia moderna está avanzando lenta pero firmemente hacia la curación holística. La ciencia moderna pretende comprender tanto la mente consciente como la subconsciente para curar de forma holística y no solo a nivel físico.

Hoy en día, la mayoría de los médicos y doctores tradicionales reconocen la importancia de ahondar en el pasado de sus pacientes para entender los problemas de salud que los aquejan actualmente. Así, es habitual que los médicos hagan las siguientes preguntas a sus pacientes, incluso para dolencias aparentemente sencillas como el dolor de cuello:

- ¿Cómo fue su infancia?
- ¿Le enviaron a menudo a un centro de acogida?
- ¿Proviene usted de un hogar desestructurado? ¿Se sintió seguro en su hogar cuando era niño?
- ¿Ha sufrido algún tipo de trauma, como abusos sexuales o físicos?
- ¿Sus padres le cuidaron lo suficiente?

Las respuestas a estas preguntas proporcionan una visión profunda de la mente del paciente. Los médicos reconocen el valor de estas respuestas y tienen en cuenta estos elementos en sus terapias tradicionales. A menudo, los médicos trabajan con terapeutas y curanderos alternativos para lograr un enfoque integral de la curación.

Debemos aprender a identificar los bloqueos energéticos y encontrar la manera de despejar el camino de la energía en nuestros cuerpos energéticos físicos y sutiles. Tenemos que aprender a relajar la amígdala y el hipocampo (órganos esenciales del cerebro responsables de las tácticas de supervivencia del comportamiento de fuga/lucha).

Aprendemos a mirar la información que nos llega del mundo exterior relajando la amígdala y el hipocampo. Somos capaces de analizarla en el contexto actual sin estar sesgados por experiencias pasadas, más antiguas y quizás obsoletas, para poder responder y reaccionar adecuadamente.

Aceptar lo que ha sucedido en el pasado y lo que está sucediendo en la actualidad hará que su enfoque de curación sea completo, lo que dará lugar a mejores resultados mentales, físicos y emocionales. La curación será más completa si tiene en cuenta cómo interactúan su mente y su cuerpo.

Consejos sencillos para conseguir desbloquear la energía de los chakras

Hay capítulos dedicados a cada uno de los siete chakras, incluyendo sus bloqueos y cómo desbloquear el flujo de energía. Además, eliminar y mantener al margen los bloqueos energéticos no es una actividad de una sola vez. Es una actividad continua de mantenimiento y reparación que se prolonga durante toda la vida. En esta sección, puede encontrar algunos consejos y técnicas generales para desbloquear el flujo de energía y devolver el equilibrio a los chakras.

Cuando se encuentre con dificultades para articular o comunicar sus pensamientos, puede simplemente cantar en el baño o mientras conduce para eliminar los bloqueos en el chakra de la garganta. El canto permite el libre movimiento de la energía a través de las cuerdas vocales, liberando así bloqueos y obstáculos.

Escribir un diario es otra excelente manera de eliminar los bloqueos energéticos de los chakras. Cuando se escriben los pensamientos, se establece en el cuerpo una conexión entre la mano, el corazón y la cabeza. En consecuencia, la energía fluye más fácilmente que antes como consecuencia de llevar un diario.

Escribir a mano es mejor que escribir en el teclado porque la conexión mano-cabeza-corazón es más fuerte y tangible. Escribir sus sentimientos sobre las experiencias traumáticas o simplemente anotar los hechos de estas experiencias problemáticas le ayudará a desprenderse del trauma. Este distanciamiento conduce a una perspectiva objetiva, lo que facilita la identificación, el reconocimiento y la aceptación de las experiencias traumáticas en lugar de simplemente esconderlas bajo la alfombra.

Asegúrese de que dispone de un espacio sagrado para escribir su diario, asegurándose de que su familia y sus amigos respetan la privacidad que busca para usted durante el ritual diario. Debe reconocer que necesita tiempo y energía para resolver sus problemas, y solo entonces los demás respetarán esa necesidad. Ser padres, cuidadores y apoyar a personas necesitadas exige mucho más autocuidado que los que viven sin preocuparse por los demás. Además, a menos que sea fuerte y confíe en sus propias preocupaciones y traumas, nunca encontrará la fuerza para estar ahí cuando los demás le necesiten.

También trate su espacio sagrado y su tiempo a solas con respeto. Cuando tenga que enfrentarse a bloqueos energéticos de cualquier tipo, vaya a su espacio sagrado, encienda una vela, coja un buen cuaderno y un bolígrafo, y empiece a escribir sus pensamientos. Busque respuestas a las siguientes preguntas:

- ¿Qué siento en este momento?
- ¿Qué ha provocado estos sentimientos?

No piense mucho antes de empezar a escribir. Simplemente escriba lo que surja en su corazón y en su mente. Algunos ejemplos podrían ser los siguientes pensamientos:

- Me siento ansioso y preocupado.
- Me siento deprimido y triste.
- Tengo ganas de llorar.
- Me siento enfadado y resentido.

No hay que sentirse culpable por los sentimientos negativos. Forman tanto parte de nosotros como las emociones positivas. Además, no puede controlar realmente cómo y qué siente. No puede decirse a sí mismo que deje de sentirse enfadado, triste o deprimido. Tiene que dejar que esos sentimientos y emociones sigan su curso.

Lo único que puede controlar es cómo reacciona o responde a esos sentimientos. Si está enfadado y herido, tiene la opción de causar dolor a las personas que cree que son responsables de su dolor. También tiene la opción de gestionar sus emociones de manera que perdone a los responsables del dolor y el daño que le han causado.

Utilizar la segunda opción no significa que suprima sus sentimientos. Solo significa que utilizará los sentimientos de forma productiva y canalizará la energía de los mismos de forma positiva. Este enfoque evitará que se produzcan bloqueos energéticos y eliminará las obstrucciones que puedan existir en cualquiera de sus chakras.

Hablar consigo mismo sobre sus malos sentimientos y experiencias permite que la energía fluya sin obstáculos. ¿Por qué ocurre esto? Porque su incapacidad para lidiar con su trauma es la causa principal del bloqueo del flujo de energía y de su capacidad para recibir percepciones del mundo exterior. Cuando se siente lo suficientemente seguro como para hablar de su trauma, libera las energías negativas acumuladas, haciendo que el camino de la energía fluya libremente y sin problemas.

Otro pensamiento común que bloquea la energía es cuando la gente espera que los demás comprendan y acepten sus experiencias. Ahora bien, esta expectativa no solo es irrazonable, sino que también resulta en la pérdida de su tiempo y energía. Sus experiencias y sentimientos son verdaderos para usted. No tienen por qué serlo para los demás en su vida, incluidos sus familiares y amigos cercanos. Sería un esfuerzo inútil intentar mirar hacia los demás para validar sus sentimientos y experiencias.

Si, por ejemplo, un tío mayor, o incluso su hermano, abusó de usted en su infancia y supongamos que acudió a su madre para contarle su problema, y ella desestimó sus quejas como si fueran inventadas, sin duda se sentirá herido y resentido. Es normal que desee que su madre reconozca su dolor y acepte que se equivocó con usted.

Si bien es una expectativa normal teniendo en cuenta que los seres humanos se identifican con su familia y su tribu, debe aprender a dejarlo pasar si esta expectativa no se cumple. Si no lo deja pasar y, en cambio, continúa validando sus experiencias a partir de otros, es probable que se estanque en esa posición. Avanzar en su vida se volverá extremadamente difícil.

Llevar un diario le ayudará a lidiar con su verdad sin la necesidad de ser validado por otras personas. Este enfoque le liberará de depender de los demás para que reconozcan, valoren o incluso estén de acuerdo con lo que siente. Simplemente se permite ser usted mismo de forma completa y sin concesiones. Cuando esto ocurre, puedes acceder a tu sabiduría interior.

El paso más crucial para desbloquear los bloqueos energéticos es tomar conciencia de ellos. Sin conciencia y aceptación de los problemas, las soluciones no pueden llegar. Para tomar conciencia de sus preocupaciones, debe encontrar la fuerza para salir de su zona de confort y buscar la luz en la oscuridad.

Es más fácil fingir que nuestros problemas no existen que profundizar en las zonas incómodas y buscar soluciones. Cuando buscamos la luz, tropezamos con recuerdos y pensamientos desagradables y evitables sobre nosotros mismos y nuestra vida que nos impulsan a tomar conciencia. Esta actitud es el primer paso para tomar conciencia de los bloqueos energéticos. Las soluciones vendrán automáticamente después de este primer paso.

Para resumir, este capítulo le ofrece un pequeño vistazo al concepto de bloqueos energéticos e ideas básicas sobre cómo identificarlos, junto con consejos generales y soluciones. Sin embargo, los capítulos siguientes tienen ideas completas sobre este concepto, ya que tratamos cada chakra en detalle en la segunda parte de este libro.

Además, como ya se ha mencionado, el desbloqueo no es una actividad puntual, sino una serie de actividades que incluyen cambios en el estilo de vida. El desbloqueo de los chakras implica:

• Meditación/Conciencia - Limpieza - Equilibrio/Desbloqueo
• Activación y conexión a tierra/cierre

Autocuestionario para identificar los bloqueos energéticos

Para empezar, puede utilizar el siguiente autocuestionario para identificar los bloqueos energéticos en su sistema de chakras.

1. Según su experiencia actual, ¿cuál de los siguientes elementos suena peor?

   1. Ser incomprendido por los demás

   2. Avergonzarse a sí mismo

   3. Ser rechazado

   4. No tener conexión con el universo

5. Perder sus facultades intuitivas

6. Falta de energía sexual y creativa

7. Pérdida de ingresos o de trabajo

2. ¿Cuál de las siguientes autoafirmaciones le resuena más?

1. Honro y respeto a los demás, pero solo después de mí mismo

2. El amor propio comienza cuando me acepto con todas mis fortalezas y debilidades

3. Mediante el amor propio, el amor a los demás se produce automáticamente

4. Estoy abierto a explorar territorios desconocidos

5. Siempre digo mi verdad

6. No puedo crecer y desarrollarme sobre una base inestable

7. Soy un receptor de amor y luz

3. ¿Con cuál de las siguientes acciones se encuentra más a menudo?

1. Ilusiones

2. Mentiras

3. Vergüenza

4. Apegos

5. Miedos

6. Dolor y pena

7. Culpa

4. ¿Cuál de las siguientes cualidades es la que menos percibe?

1. Expresividad

2. Amor

3. Conexión

4. Creatividad

5. Confianza

6. Intuición

7. Arraigo

5. ¿Cuál de los siguientes colores está ausente en su armario?

1. Púrpura
2. Amarillo
3. Azul
4. Blanco
5. Naranja
6. Rojo
7. Verde

6. ¿Cuál de las siguientes rutinas de autocuidado le resulta más atractiva?

1. Un buen entrenamiento físico
2. Un baño caliente y relajante
3. Leer las cartas del tarot
4. Meditación sobre el amor y la bondad
5. Crear música o arte
6. Cuidado de la piel y belleza
7. Escribir un diario

7. ¿Cuál es su necesidad más importante de entre las siguientes?

1. Comunicación
2. Sentimiento de autoestima
3. Espiritualidad
4. Alegría
5. Sabiduría
6. Estabilidad
7. Abundancia

8. ¿Qué es lo que más le preocupa actualmente de los siguientes aspectos?

1. La presión arterial alta
2. Infertilidad o problemas de intimidad
3. Falta de sueño
4. Depresión y ansiedad
5. Problemas digestivos

6. Dolor en la parte baja de la espalda y/o en las piernas

7. Desequilibrios hormonales y/o problemas de tiroides

Anote sus respuestas y guárdelas para futuras consultas. Una vez que haya terminado de leer, aprender y poner en práctica lo que se enseña en este libro, sabrá qué chakra(s) está(n) desequilibrado(s) en su sistema energético en función de las respuestas que haya obtenido en este autocuestionario.

Conocer el sistema de chakras

Capítulo 4: El primer chakra: Muladhara (la raíz)

La segunda parte de este libro se centra en cada uno de los siete chakras. Vamos a profundizar en los siete chakras, con un capítulo dedicado a cada uno de ellos. Empecemos por el chakra base (o raíz).

Comprender el muladhara

Antes de profundizar en el chakra raíz o base (el muladhara en sánscrito), he aquí un breve resumen del mismo:

- Es el primero de los siete chakras.
- El color asociado a él es el rojo.
- El mantra semilla (o bija mantra) es LAM.
- Se encuentra en la base de la columna vertebral.
- Está relacionado con el elemento tierra.
- Está conectado con las glándulas suprarrenales.
- La función psicológica del chakra base es la supervivencia, la estabilidad y la autosuficiencia.
- Las dos asanas que ayudan a recuperar la armonía y el equilibrio perdidos del chakra raíz son vrikshasana y tadasana.

El chakra de la raíz se llama así porque actúa como las "raíces de un árbol", conectando con la tierra y estabilizándonos. El muladhara está situado cerca del plexo coccígeo, comúnmente llamado coxis, y debajo del sacro. Además, su punto de activación superficial o "kshetra" se encuentra cerca del hueso pélvico y del perineo. Teniendo en cuenta su ubicación y su conexión con el ano, el muladhara está asociado a la actividad excretora del sistema fisiológico humano.

En el muladhara surgen los tres nadis primarios: el ida, el pingala y el sushumna.

El símbolo del chakra base es un loto rojo de cuatro pétalos en cuyo centro hay un cuadrado amarillo. Cada uno de los cuatro pétalos tiene una sílaba sánscrita escrita en oro del siguiente modo:

VAM, SAM (SHAM - शं), SAM (SHAM - षं), y SAM (pronunciado como "algunos" - सं)

La segunda y la tercera sílaba parecen ser las mismas, pero hay una sutil diferencia en su sonido. Estas cuatro sílabas sánscritas representan los cuatro vrittis, o contenidos mentales: el placer natural, la mayor alegría, la dicha en la concentración y el deleite en el control de la pasión. Estas sílabas también representan los siguientes conceptos hindúes:

- Dharma (deseo o anhelo psicoespiritual)
- Artha (deseo o anhelo psíquico)
- Kama (deseo o anhelo físico)

De los lados y las esquinas del cuadrado amarillo central sobresalen ocho lanzas. Indra, el rey de los dioses, es la deidad asociada al Muladhara. Indra sostiene en sus manos un loto azul y el vajra (un arma que combina las propiedades del diamante y del rayo). Su montura es un elefante blanco llamado Airavata. Tiene siete trompas que representan los siete elementos necesarios para la vida en este planeta.

Según otras creencias hindúes, el muladhara también se asocia con el Señor Ganesha, el eliminador de obstáculos, y el dios que puede ayudar a los creyentes a realizar el brahman, la verdad última. Cuando se asocia con el chakra raíz, el señor Ganesha se representa con un dhoti amarillo, un pañuelo verde sobre el hombro y con la piel naranja. Se le muestra con cuatro manos que sostienen un laddu, un hacha y un loto, mientras que la cuarta mano está levantada en un mudra que representa la intrepidez.

El mantra semilla del chakra base es LAM o लं. El señor Brahma, el creador del universo, aparece en el bindu en el punto que forma parte del mantra sánscrito de muladhara. El señor Brahma tiene cuatro caras y cuatro brazos. Es de color rojo intenso y está sentado sobre un cisne blanco. Sostiene un bastón, un jarrón sagrado o copa de amrita o néctar, un japa mala (rosario para cantar mantras), y la cuarta mano es un mudra que disipa el miedo. El señor Brahma sostiene los Vedas sagrados (antiguas escrituras hindúes) y un loto en lugar del rosario y el bastón en algunas representaciones.

La s'akti (el poder femenino) del señor Brahma es Dakini, que se asocia con el chakra raíz. La hermosa Dakini está sentada con su consorte. Tiene cuatro brazos y tres ojos y se le representa con la piel blanca o roja. Sostiene un tridente, una copa o recipiente para beber, un bastón con una calavera en la parte superior y un cisne. A veces, en lugar del vaso y el cisne, se le representa con un escudo y una espada.

En el centro del cuadrado del símbolo del loto de 4 pétalos del chakra raíz hay un triángulo invertido de color rojo intenso. Se cree que la Kundalini Shakti permanece dormida aquí. Espera pacientemente a ser despertada para volver a ser una con el Brahman, la fuente de donde ella y todo el cosmos se originaron. La kundalini shakti está representada por una serpiente enrollada tres veces y media alrededor de un lingam, el símbolo de Shiva.

El chakra raíz crea una base sólida para los seis chakras restantes. Cuando el muladhara está equilibrado y la energía es óptima, la persona siente estabilidad y seguridad. Este chakra está relacionado con la confianza, la fuerza y la energía. Es la base del "cuerpo energético", y el sistema yóguico hace hincapié en la importancia de fortalecer y equilibrar continuamente la energía del chakra raíz.

El chakra raíz nos ayuda a reconocer y reforzar nuestra conexión con la tierra. Cuando estamos arraigados y conectados a la Madre Tierra, hay positividad y felicidad en nuestras vidas. Además, este chakra se relaciona con nuestras necesidades más básicas, como la supervivencia, el apoyo y la estabilidad. Como tal, también significa la estructura de nuestro cuerpo, nuestros huesos, carne y piel.

Su color (rojo) también se relaciona con nuestros instintos básicos de vitalidad y fuerza. (El rojo se asocia con la supervivencia y la autoconservación).

Nuestras necesidades básicas de supervivencia incluyen comida, agua, refugio y protección. El objetivo principal del muladhara es satisfacer estas necesidades básicas de supervivencia. Al equilibrar este chakra raíz, ganamos fuerza emocional, sin preocupaciones, y se sentirá más seguro y con los pies en la tierra.

Por otro lado, un chakra base desequilibrado puede ser el resultado de la insatisfacción de nuestras necesidades básicas de supervivencia. Un chakra base obstaculizado hace que nos sintamos desconectados de nuestros valores terrenales. Un muladhara desequilibrado puede causar múltiples problemas de salud emocional y mental que, a su vez, pueden afectar negativamente a la salud física también.

Síntomas de un chakra raíz bloqueado

Cuando el chakra raíz está bloqueado o desequilibrado, los síntomas son visibles en todo el estado del cuerpo y la mente del individuo. Los síntomas incluyen:

- Trastornos del sistema digestivo
- Problemas de salud relacionados con la parte baja de la espalda, la vejiga y el colon
- Dolores crónicos inexplicables en todo el cuerpo
- Problemas reproductivos
- Incapacidad para dormir (insomnio)
- Malestar y/o depresión
- Parálisis por análisis: incapacidad para actuar o decidir
- Sensación de aislamiento y desconexión de los demás
- Ansiedad y ataques de pánico

Un chakra raíz bloqueado afecta su relación amorosa. Profundicemos un poco en este aspecto. Como ya sabe, su sistema energético no se limita a su cuerpo físico. Hay múltiples capas de cuerpos energéticos sutiles, incluyendo un cuerpo espiritual que forma un capullo a su alrededor llamado *aura*.

A veces, a lo largo del día, puede haber sentido una "invasión" en su espacio personal. Esto suele ocurrir cuando el aura de otra persona entra en conflicto con la suya, y usted recibe una vibración "negativa" de ella. Los chakras se desalinean y se desequilibran debido a las vibraciones negativas recibidas de otras personas que le rodean. Examinemos algunos de los signos de un chakra raíz bloqueado que afectan a sus relaciones amorosas:

Siempre está ansioso y nervioso - Su chakra raíz es la base de su sistema energético. Nada puede ser sustancial sobre una base débil. Por lo tanto, cuando su chakra base está desequilibrado o bloqueado, se sentirá inseguro e inestable en todos los aspectos de su vida, incluyendo sus relaciones. Le resulta difícil superar los retos y problemas que la vida le depara porque se asusta y tiene miedo de enfrentarse a ellos.

Tienes problemas de gestión de la ira - Si se encuentra arremetiendo contra la gente sin motivo o razón, podría ser signo de un chakra raíz desequilibrado. Otros problemas relacionados con la ira se manifiestan en forma de viejos rencores o de rechazo a las personas porque considera que le han hecho daño. Todos estos problemas son una clara señal de inseguridades asociadas al muladhara.

Se siente desconectado de los demás con una profunda sensación de vacío - Esta sensación de vacío le impide buscar relaciones significativas. Se siente condenado a ser un solitario para siempre.

Permite que la gente lo pisotee - Las inseguridades conducen a la autocrítica y al odio a sí mismo. Por lo tanto, tiende a dejar que la gente lo utilice o lo pisotee con el fin de que lo acepten y lo hagan sentir querido y amado. Este no es el tipo de amor que debería buscar. Sus inseguridades simplemente lo impulsan.

Cree que carece de estabilidad financiera - La sensación de inestabilidad financiera no se limita a las personas no tan ricas. Un chakra raíz bloqueado impulsa la idea errónea, incluso entre los ricos, de que no tienen suficientes fondos. En consecuencia, se ven abocados a vivir la vida como avaros y a menudo se involucran en actividades ilegales como la evasión de impuestos para ahorrar dinero.

Por lo tanto, si siente que su estado financiero no es bueno a pesar de tener suficiente riqueza, podría tener un problema de desequilibrio energético en su chakra raíz. En tal caso, en lugar de acumular dinero innecesariamente, trabaje en liberar el bloqueo de su chakra base, y se dará cuenta de que sus finanzas están en perfecto orden.

Padece trastornos alimenticios - Una de las formas más comunes de intentar llenar el vacío interior es comer muy poco o demasiado. Por lo tanto, si padece un trastorno alimenticio, de cualquier tipo, podría ser un signo de un chakra raíz desequilibrado.

Se torna adicto a las compras - Conocidos como compradores compulsivos, las personas que son adictas a las compras tienden a irse de compras con la esperanza de llenar su vacío interior. Es una clara señal de una profunda inseguridad, que es un síntoma de un chakra raíz desequilibrado.

No le gustan los cambios - Las personas con inseguridades profundas tienden a odiar los cambios de cualquier tipo porque se sienten incapaces de adaptarse a ellos. Tienen miedo de derrumbarse en un entorno cambiante. Por lo tanto, tienden a permanecer inflexibles y no aceptan fácilmente los cambios de ningún tipo.

Se deja influenciar fácilmente por los demás - Sus inseguridades le hacen vulnerable a las influencias de los demás a su alrededor. Está tan inseguro de quién es y de lo que quiere que tiende a aceptar lo que otros le dicen.

Estos son algunos de los síntomas más comunes de un chakra raíz desequilibrado. Debe desbloquear la energía de su chakra base, ya que puede crear mucho malestar en su vida.

¿Cómo desbloquear y abrir el chakra raíz?

Identificar los bloqueos energéticos y abrirlos permite una rápida curación de múltiples problemas emocionales, físicos y mentales que parecen atormentarle sin fin. Hay muchas maneras de desbloquear la energía estancada y atascada en el chakra raíz. Una de las formas más comunes y eficaces es utilizar técnicas de meditación que se centran en la conexión a tierra. La práctica regular del yoga también es una forma excelente de despejar los bloqueos energéticos en su chakra base.

Afirmaciones positivas para el chakra base

Repetir afirmaciones positivas es otra excelente forma de romper viejos hábitos limitantes y sustituirlos con nuevos hábitos rejuvenecedores que añadan valor a su vida. He aquí algunas afirmaciones positivas para estabilizar la energía de su chakra raíz:

- Me siento seguro.
- Mis raíces son profundas.
- Estoy en paz.
- Tengo los pies en la tierra y soy estable.
- No tengo miedo.
- Confío en mí mismo.
- Me quiero y me tomo en serio el cuidado de mí mismo.
- Estoy abierto y soy flexible para aceptar y explorar todas las posibilidades.

Asanas de yoga para el chakra base

Las asanas de yoga son excelentes herramientas correctivas y preventivas para una vida sana, sin enfermedades y con sentido. Esto ayuda a conectar la mente, el espíritu y el cuerpo mediante la fusión de la energía que circula a través de los nadis y los chakras. Hay asanas especiales para ayudar a limpiar la energía de determinados chakras. Estas asanas también ayudan a estimular los chakras que no funcionan bien.

Las posturas que se describen a continuación ayudan a restablecer el equilibrio y la armonía en el muladhara estimulándolo y ayudando a liberar la energía estancada. Un camino de energía que fluye libremente en el muladhara permite una auténtica transformación, así como su crecimiento y desarrollo personal.

Shavasana o la postura del cadáver

Túmbese en el suelo. Tome conciencia física de la tierra que hay debajo de usted; sienta que sostiene todo su cuerpo. Suelte todas sus tensiones y repita las siguientes afirmaciones con cada inhalación y exhalación:

- Estoy a salvo.
- Estoy respaldado por la Madre Tierra.

Surya namaskar o saludo al sol

Esta asana de 11 pasos se realiza idealmente al amanecer frente al sol naciente. El surya namaskara le ayuda a acceder a su energía central y a conectarse con la tierra.

Mientras reposa en cada una de las 11 posturas, sentirá la lenta y constante acumulación de calor en su interior. Podrá aprovechar el suministro ilimitado de energía mientras se conecta con la tierra. A medida que repita la asana, verá cómo su cuerpo y su mente se conectan fácilmente con el momento presente dejando fuera todos los remordimientos del pasado y las preocupaciones del futuro. Siéntase libre de cerrar los ojos mientras realiza esta asana.

Shashankasana o la postura del niño

Siéntese como un niño en el suelo. Entréguese a la tierra y permita que ella soporte todo su peso. Reciba y acoja el sostén que le ofrece la Madre Tierra y utilícelo para conectarse a la tierra y estabilizarse.

Malasana o la postura de la guirnalda

Nuestros pies nos ayudan a conectar con la energía de la tierra (y a acceder a ella). Meta sus dedos de los pies debajo de usted mientras se sienta sobre las rodillas. (NOTA: esta postura ayuda a activar la fascia de la planta del pie, lo que aporta un alivio adicional en esa zona). Mantenga esta postura durante al menos un minuto antes de relajar los dedos de los pies, y luego repítala (tres veces). *Esta postura se explica en detalle en el capítulo 13.*

Ardha setu bandhasana o postura del medio puente

Esta postura le arraiga a la tierra al tener los pies firmemente apoyados en el suelo. La flexión le permite liberar el exceso de energía del chakra base al final de la columna vertebral, estimulando así los chakras del corazón y de la garganta.

Uttanasana o la flexión de pie hacia delante

Excelente para encontrar su centro de gravedad y estabilizar su núcleo, esta postura es ideal para calmar una mente inquieta y/o ocupada. Esta postura estira los músculos de los isquiotibiales y libera la tensión de toda la espalda.

Sukha hanumanasa o la postura del mono fácil

Excelente para estirar los músculos de los cuádriceps y del psoas (relacionados con la respuesta de lucha/huida). ¿Sabía que el chakra de la base también está relacionado con la respuesta de supervivencia de lucha/huida? Respirar un poco durante esta postura ayuda a relajar estos músculos, transformando la energía de lucha/huida, cargada de ansiedad, en fuerza valiente, tranquila y productiva.

Tadasana o la postura de la montaña

La postura de la montaña fortalece los músculos de la columna vertebral y mejora la postura, al tiempo que restablece la alineación natural del cuerpo. Calma su mente, ampliando así su conciencia mental. Le ayuda a sentirse centrado y concentrado.

Vrikshasana o la postura del árbol

Esta es una postura muy eficaz para aumentar la concentración y el equilibrio. El chakra base experimenta una estimulación que equilibra y mantiene las glándulas suprarrenales y el intestino grueso. La postura del árbol también ayuda a tonificar (y fortalecer) los ligamentos y tendones de los pies. Otra ventaja: la rigidez en la zona de la ingle, las caderas y la parte interna de los muslos disminuye considerablemente.

Reconectar con la naturaleza para fortalecer y equilibrar el chakra raíz

La terapia con la naturaleza es una herramienta muy eficaz para sanar no solo su chakra raíz, sino todo su sistema energético de adentro hacia afuera. Gracias al estilo de vida moderno, parece que pasamos mucho más tiempo dentro de casa de lo que es bueno para nosotros. En consecuencia, estamos perdiendo el contacto con la naturaleza y los elementos de la tierra.

Esta falta de exposición a la naturaleza, o su compromiso con ella, puede ser mentalmente agotadora e incluso puede volverse tóxica para su cuerpo, mente y espíritu. Su chakra raíz, que depende directamente de su conexión con la tierra para obtener energía, se bloquea y se estanca dando lugar a la ansiedad, una gran mella en su confianza en sí mismo y su autoestima.

Pasar tiempo en la naturaleza es una de las mejores terapias que puede experimentar para rejuvenecer su chakra raíz. Deje a un lado su teléfono móvil y respire el aroma de su entorno; escuche los pájaros y el viento en los árboles, disfrutando de todos los beneficios gratuitos que ofrece la naturaleza.

Cuando el chakra base está rejuvenecido y libre de bloqueos energéticos, sentirá que la positividad impregna todos los aspectos de su vida. Un chakra base equilibrado y sano le ayuda a crear una fuerte conexión con la tierra, aumentando sus sentimientos de seguridad y protección. Sus instintos terrenales también se refrescan.

Su sentido de la autoestima y su nivel general de confianza en sí mismo reciben un impulso considerable. Le permite acceder a su coraje y poder interior, especialmente en los momentos difíciles.

Capítulo 5: El segundo chakra: Svadhisthana (el sacro)

Nuestros cuerpos, tanto el físico como el de energía sutil, interactúan continuamente con las energías que nos rodean, ganando o a veces incluso perdiendo con ellas. Cada chakra tiene una función única y el propósito de canalizar la energía dentro y fuera de nosotros de una manera particular. Este sistema energético sutil influye profundamente en nuestro cuerpo físico y afecta a la forma en que llevamos nuestra vida.

Comprender el chakra sacro

Empecemos con un resumen del chakra sacro antes de sumergirnos en él.

- Es el segundo de los siete chakras.
- Su nombre en sánscrito es svadhisthana.
- El color asociado a él es el naranja.
- Su mantra semilla o bija mantra es VAM.
- Se encuentra en la zona del abdomen inferior.
- Está conectado con el elemento agua.
- Las glándulas asociadas al chakra sacro son las gónadas.
- La función fisiológica del segundo chakra está relacionada con los deseos, la sexualidad, la autoestima y la creatividad.
- Dos de las asanas más importantes que ayudan a equilibrar la energía del chakra sacro son la kakasana y la trikonasana.

La ubicación exacta del svadhisthana es "dos dedos de ancho" por encima del muladhara. El svadhisthana está estrechamente relacionado con el muladhara de la siguiente manera. El chakra raíz es el lugar donde se asientan nuestros karmas potenciales. El chakra sacro es el lugar donde los resultados de estos karmas encuentran su expresión.

Este chakra está conectado con el sentido del gusto y con los órganos relacionados con la reproducción y la sexualidad, incluidos los ovarios y los testículos. Se cree que el chakra sacro influye en la producción de estrógeno y testosterona, que influyen en nuestro comportamiento sexual.

El chakra sacro se representa como un loto blanco con seis pétalos de color bermellón. Hay seis sílabas sánscritas inscritas en los pétalos, que son:

- बं BAM
- भं BHAM
- मं MAM

- यं YAM
- रं RAM
- लं LAM

Los seis pétalos representan los diferentes modos de conciencia o vrittis: desprecio, afecto, ilusión, destructividad, sospecha y desdén. El chakra sacro está asociado a nuestro sentido del yo o identidad, a los sentimientos y elementos de placer y sexualidad, y a la procreación. También está vinculado a la mente subconsciente y a nuestras emociones y sentimientos.

El color asociado al chakra sacro es el naranja. Curiosamente, la culpa es una de las principales causas de que la energía se bloquee en este centro energético.

El centro del loto tiene una luna creciente blanca que representa el elemento agua gobernado por Varuna, el dios del agua. La semilla o bija mantra (VAM) está situada en el centro del loto sobre la media luna blanca. El punto o el bindu en el bija mantra presenta la imagen de Vishnu, el creador. Su piel es azul oscuro y lleva un dhoti amarillo. Sostiene muchas cosas en sus múltiples manos, incluyendo una maza, una caracola, un loto y una rueda. También lleva el Kaustubha (la joya divina). A veces se le representa sentado sobre un loto blanco, y otras veces, sentado sobre Garuda, el águila divina.

Su fuerza femenina es Rakini, el poder de Shakti se asocia con svadhisthana. También es de piel oscura, está sentada sobre un loto rojo y viste de blanco o rojo. Sostiene un escudo y una espada en sus dos manos. Cuando se la representa con cuatro manos, sostiene el vajra, un tambor, el loto y un tridente. El svadhisthana suele representarse como la sede y el centro de poder del señor Brahma (el creador) y su consorte (Saraswathi), la diosa del conocimiento.

El chakra sacro es donde se asientan nuestros deseos inconscientes, especialmente nuestros deseos sexuales imperiosos. Por ello, los practicantes de la kundalini encuentran un gran desafío en elevar la kundalini shakti por encima del chakra sacro. Los antiguos sabios y santos han dejado constancia de que tuvieron que superar tentaciones sexuales muy desafiantes antes de poder llegar a elevar la kundalini shakti más allá del chakra sacro.

El poder principal del elemento agua es su capacidad de fluir naturalmente. Este poder de flujo es inmenso y tiene que ser regulado para evitar resultados destructivos. El chakra sacro está conectado con el elemento agua. Así, cuando la energía está equilibrada y desbloqueada, nuestras emociones fluyen a través de nosotros sin crear problemas ni hacernos juzgar (como el flujo del agua bien regulado).

Con un chakra sacro bien equilibrado, podemos reconocer nuestras emociones, lo que, a su vez, nos ayuda a comprender nuestros deseos y necesidades. Además, esto nos permite articularlos con el mundo exterior sin esfuerzo. Hay armonía y equilibrio por todas partes.

La conexión del chakra sacro con el color naranja también está vinculada a la conciencia ascendente simbolizada por el tono naranja del sol naciente. Además, el naranja representa la acción y la pureza. El color naranja representa la fe, la alegría, la energía equilibrada y la confianza en uno mismo.

El chakra sacro es el punto energético en el que diseñamos la vida de nuestros deseos y sueños. Es el chakra que nos permite dar forma a nuestro destino. Es el centro de la pasión y despierta el poder de la creación en nuestro interior, lo que nos permite descubrir nuestras opciones y crear relaciones íntimas felices.

El chakra sacro promueve el bienestar general a través de la motivación y la saciedad de nuestras necesidades de placer. Este centro energético desempeña un papel vital en nuestra sexualidad y en la expresión de nuestros deseos y necesidades emocionales. El svadhisthana se centra en nuestra identidad y en cómo respondemos a los estímulos del mundo exterior.

Un chakra sacro desequilibrado provoca trastornos emocionales, irritabilidad, falta de creatividad y una obsesión excesiva por los pensamientos sexuales. Por otro lado, un svadhisthana equilibrado nos permite asumir riesgos para experimentar una vida compasiva y positiva.

Síntomas de un svadhisthana bloqueado

Los síntomas físicos habituales de un chakra sacro bloqueado incluyen:

- Problemas genitales o sexuales
- Artritis
- Dolor crónico en la espalda baja
- Anemia
- Estreñimiento
- Problemas de cadera
- Baja energía
- Problemas articulares
- Síndrome premenstrual
- Problemas de bazo y riñón

Un chakra sacro hiperactivo significa que el exceso de energía se distribuye por todo el cuerpo. Como este punto energético está relacionado con las emociones, los niveles de energía hiperactivos pueden dar lugar a una sensación de agobio. Puede sufrir de hipersensibilidad porque tiende a experimentar las emociones más profundamente de lo habitual y cambios de humor extremos. Podría recurrir a las adicciones porque le cuesta saciarse de los placeres externos a causa de su vacío interior. Los signos de un svadhisthana hiperactivo son:

- Deseo sexual excesivo, que a menudo conduce a la adicción sexual, si no se controla a tiempo.
- Exceso de placeres de todo tipo.
- Dificultad para establecer límites con la gente.

- Actitud excesivamente dramática.
- Padecer trastornos obsesivo-compulsivos.
- Las mujeres experimentan una menstruación excesiva.
- Ser demasiado ambicioso.
- Obsesión por el ejercicio físico.
- Experimentar cambios de humor, sentirse demasiado emocional y experimentar una tensión excesiva.
- Sentirse hipersensible.

Un chakra sacro poco activo, por otro lado, afecta a su bienestar mental y físico. Siente que carece de control sobre las cosas que afectan a su vida. Tiene una profunda sensación de incertidumbre y le resulta difícil hacer frente a los cambios de la vida. Además, es incapaz de expresar sus deseos de forma plena y clara, lo que afecta a su capacidad creativa.

Otro signo común de un svadhisthana poco activo resulta en la codependencia de las personas, lo que, a su vez, da lugar a una profunda sensación de desapego hacia uno mismo. Cuando su chakra sacro está poco activo, el resultado es que:

- Tiene miedo de experimentar placer.
- Falta de creatividad.
- Está siempre cansado.
- Se siente inseguro y desapegado.
- Carece de deseo.
- Sufre de libido escaso.
- No se siente emocionado y tiene una sensación de distanciamiento.
- Siempre está en guardia.
- Experimenta privación de sí mismo.
- Se siente inseguro y distante.
- Tiene una baja autoestima.
- Tiene la libido baja.
- Se compara constantemente con los demás.
- Es tímido/a.

- Carece de deseo y pasión.
- Está demasiado agotado.

Cómo desbloquear y abrir el chakra sacro

Hay muchas maneras de desbloquear y abrir el chakra sacro. Estos son algunos métodos sencillos que puede probar.

Afirmaciones positivas

Las afirmaciones positivas son excelentes herramientas para romper los patrones de pensamiento negativo y los hábitos programados en la mente subconsciente. La presencia de patrones de pensamiento negativos en sí misma puede ser una causa de un desequilibrio en el chakra. Las afirmaciones positivas crean una mentalidad positiva y elevan las vibraciones energéticas en todo su cuerpo, mente y espíritu. Estas son algunas afirmaciones positivas que puede utilizar para equilibrar y desbloquear el svadhisthana:

- Soy un individuo creativo.
- Soy apasionado y cariñoso.
- He establecido límites para mantenerme seguro y protegido.

Conectar con el agua

El chakra sacro está conectado con el elemento agua y el flujo del agua. Conectar con el agua, por ejemplo, meditando o simplemente observando el agua que fluye en ríos, lagos, océanos, etc., puede mejorar los niveles de energía del chakra sacro. Además, un baño caliente o una ducha pueden ayudar a regular la energía de este chakra.

Meditación

La meditación es una herramienta excelente para abrir y desbloquear la energía de los siete chakras, incluido el Svadhisthana. La meditación para los chakras es igual que las técnicas generales de meditación. Para empezar, se puede utilizar la meditación simple de concentración en la respiración y avanzar lentamente. La meditación también ayuda a centrarse en los pensamientos positivos mientras se descartan los negativos, lo que, a su vez, despeja los bloqueos energéticos de los chakras.

Las personas que meditan hacia el chakra sacro pueden lograr potencialmente lo siguiente:

- Liberarse de sus enemigos.
- El poder de dirigir un grupo de yoguis
- Claridad de pensamiento y elocuencia
- Pérdida del miedo asociado al agua
- Capacidad de conectar con los cuerpos astrales
- Habilidad para lograr todos sus deseos, así como los de los demás a su alrededor.

Mudras de kundalini para el chakra sacro

Las prácticas de la yoga kundalini son excelentes para equilibrar y armonizar el chakra sacro. Aquí hay un par de ellas que puede utilizar:

Ashvini Mudra - Este mudra requiere contraer el ano, lo que ayuda a fortalecer los músculos del intestino grueso, el recto, el útero (en las mujeres) y el perineo. También mejora el funcionamiento del sistema digestivo, gracias a la mejora del flujo sanguíneo y al drenaje de la sangre estancada. El flujo pránico se equilibra y armoniza. Este mudra tiene un impacto positivo en su salud general.

Vajroli mudra - Este mudra pide al practicante que preserve su semen. Esto se puede hacer aprendiendo a no liberar el semen o a extraerlo de la vagina de la mujer a través de su uretra. No es un mudra fácil de dominar y requiere mucho aprendizaje y práctica.

Asanas de yoga para el chakra sacro

Las siguientes posturas y asanas ayudan a estimular el chakra sacro y también a equilibrar y armonizar su energía.

Kakasana o la postura del cuervo - Esta postura de yoga es excelente para el equilibrio mental y la concentración, incluso para fortalecer los brazos y las muñecas. Cuando se practica la postura del cuervo con regularidad, el chakra sacro se estimula, eliminando la fatiga y aumentando la conciencia de sí mismo.

Trikonasana o la postura del triángulo - Esta postura es excelente para el estiramiento de la columna vertebral. Esta asana de yoga estimula el bazo y el hígado promoviendo su salud física y fisiológica. La postura del triángulo también tonifica la espalda y los músculos abdominales mientras aumenta el flujo sanguíneo.

El chakra sacro o svadhisthana tiene que ver con la creatividad, la sexualidad y con llevar una vida significativa y satisfactoria. Cuando los patrones de pensamiento negativos y los modos de vida debilitantes suprimen estas fuerzas energéticas críticas y la vitalidad, su vida será seguramente limitada e insatisfactoria.

Por lo tanto, debe trabajar en la apertura y el equilibrio de la energía de su chakra sacro para que pueda llevar la vida sin restricciones, accesible y feliz que se merece. Limpiar los bloqueos energéticos del chakra sacro es vital también en el camino de alcanzar y realizar sus sueños.

Cuando haya podido corregir los desequilibrios energéticos en su chakra sacro, encontrará los siguientes efectos positivos en su cuerpo, mente y vida en general:

- Recobrará su creatividad.
- Sus hormonas se equilibrarán y alcanzarán niveles saludables.
- Podrá experimentar los placeres de la vida sin miedo, sin culpa y sin represión.

- Tendrá un espíritu generoso y dadivoso.
- Encontrará el amor propio y cuidará bien de sí mismo.
- Podrá establecer límites saludables con los demás.

Capítulo 6: El tercer chakra: Manipura (el plexo solar)

Empecemos con un breve resumen del tercer chakra, el plexo solar.

- Su nombre en sánscrito es manipura.
- Su semilla o bija mantra es RAM.

- Se asocia con el color amarillo.
- Está situado debajo del ombligo y por eso también se le llama el chakra del ombligo.
- Está conectado con el elemento fuego.
- Cuida y controla el páncreas.
- Se ocupa de la agresión, el ego y la ira.
- Dos asanas principales relacionadas con el manipura son paschimottanasana y bhujangasana.

Comprender el plexo solar

Manipura se traduce como "ciudad de las joyas", "gema lustrosa o resplandeciente". El loto de diez pétalos simboliza el plexo solar con un triángulo rojo en el centro, que representa el elemento fuego. En cada uno de los diez pétalos están inscritas las siguientes 10 sílabas sánscritas: da, ḍha, ṇa, ta, tha, da, dha, na, pa, y pha. Estas sílabas representan los siguientes diez vrittis de la ignorancia espiritual: celos, sed, traición, miedo, vergüenza, asco, necedad, engaño y tristeza. El mantra semilla, RAM, está inscrito en el centro del triángulo rojo.

Los diez pétalos representan los diez pranas, incluidos los cinco prana vayu (prana, apana, udana, samana y vyana) y los cinco upa pranas (naga, kurma, krikala, devadutta y dhananjaya).

El plexo solar es la sede de la fuerza de voluntad, el dinamismo, los logros y la energía, e irradia y difunde el prana por todo el cuerpo. Está conectado con la digestión y el fuego, junto con el movimiento y el sentido de la vista. Meditar en el manipura puede dar poder para realizar cambios negativos o positivos en el alma.

El chakra del ombligo está situado a cuatro dedos de distancia por encima del ombligo y representa la confianza en uno mismo y el poder personal. El significado de manipura es "gema lustrosa". Teniendo en cuenta su ubicación, las funciones fisiológicas controladas por el chakra del ombligo incluyen el funcionamiento del diafragma y del sistema digestivo.

El plexo solar también gestiona el metabolismo, lo que está en consonancia con el hecho de que está conectado con el elemento fuego a fin de "alimentar" la digestión y las actividades metabólicas. Cuando la temperatura del proceso digestivo se activa dentro de un rango de temperatura corporal moderado, la digestión se produce sin problemas. Por lo tanto, la energía de fuego del chakra del ombligo desempeña un papel importante en todo el proceso digestivo, incluida la absorción eficaz de los nutrientes.

El elemento fuego representa el poder y la energía del sol. El fuego enciende nuestra conciencia y nos motiva a luchar por la buena salud, el éxito y el bienestar general. El fuego representa el poder de la transformación. Además de ser la sede de Agni, el dios del fuego, el manipura está asociado con el samana vayu, uno de los pranas esenciales que están relacionados con la digestión. El apana vayu y el prana vayu se encuentran en el plexo solar.

Rudra, la deidad de Manipura, reside dentro del "bindu" o punto del mantra semilla, RAM. Se le representa en colores blanco o rojo, tiene tres ojos y todo su cuerpo está untado de ceniza sagrada. Los movimientos de Rudra simbolizan la concesión de bendiciones y la disipación de temores. Se sienta sobre un toro o una piel de tigre.

La consorte de Rudra (o shakti) es Lakini, de color bermellón oscuro y sentada sobre un loto rojo. Tiene tres caras, cada una con tres ojos, y tiene cuatro brazos. Lakini sostiene la flecha de Kama, el dios del amor, en una mano, un rayo en otra y el fuego en la tercera. La cuarta mano está en un mudra que representa la disipación de los miedos y la concesión de bendiciones.

El color amarillo asociado al manipura representa el balance de la energía y el esplendor. El amarillo simboliza una conexión con el sol y el fuego y también representa la energía, el conocimiento y el intelecto. Representa los nuevos comienzos, los nacimientos, los renacimientos y la vivacidad de la juventud. Normalmente, las personas que se sienten atraídas por el amarillo se sienten impulsadas por las actividades intelectuales.

La otra cara del elemento fuego es que puede extinguirse rápidamente si se dedica demasiado tiempo al tercer chakra. Sin embargo, dejarlo en un estado poco activo tampoco es bueno para usted porque podría sentirse inerte, temeroso y débil.

El manipura se encuentra en el centro del cuerpo físico y del cuerpo astral. En esta ubicación estratégica, atrae y gestiona el prana o la fuerza vital para mantener el equilibrio del cuerpo y la mente. Los sentimientos de felicidad y amor, a menudo relacionados con el chakra del corazón, se originan en el plexo solar. Estas emociones surgen desde el chakra del ombligo hasta el chakra del corazón.

Síntomas de un manipura bloqueado

Cuando el chakra del ombligo está hiperactivo, puede ser la fuente de reacciones y emociones impulsivas, incluyendo la ira y la agresión, que son los síntomas clave de un manipura bloqueado. Un plexo solar desequilibrado aumentará los sentimientos de inseguridad. Por lo general, le resultará difícil conectar con su belleza y su fuego interior.

Un chakra del ombligo bien equilibrado aumenta la confianza en sí mismo del individuo y le da un sentido de propósito. La persona está motivada por sí misma. Por el contrario, cuando la energía del manipura está desequilibrada o bloqueada, la persona puede tener problemas de autoestima, de autocontrol y de toma de decisiones.

Los síntomas físicos de un chakra del ombligo desequilibrado incluyen:

- Fatiga
- Comer en exceso
- Aumento excesivo de peso

- Trastornos del sistema digestivo
- Diabetes
- Hipoglucemia

Los problemas digestivos debidos a un manipura desequilibrado pueden incluir los siguientes síntomas:

- Falta de la absorción adecuada de nutrientes
- Síndrome del intestino irritable
- Estreñimiento
- Trastornos de la alimentación
- Problemas con el páncreas, el colon y el hígado
- Diabetes
- Úlceras

Los problemas emocionales debidos a un desequilibrio en el manipura incluyen:

- Desconfianza y dudas con respecto a los familiares y amigos cercanos
- Una gran sensibilidad a las opiniones de los demás sobre usted
- Bajos niveles de autoestima
- Búsqueda continua de la aprobación de los demás

Un manipura hipoactivo se manifiesta con los siguientes síntomas:

- Falta de confianza en sí mismo
- Baja autoestima
- Fuerza de voluntad débil
- Mentalidad de víctima
- Incapacidad para asumir la responsabilidad de sus acciones
- Falta de confianza en sí mismo
- Atracción por los estimulantes adictivos

Los síntomas de un plexo solar hiperactivo incluyen:

- Obsesión por tener la razón
- Excesivamente agresivo y mandón
- Competitivo y hambriento de poder
- Atracción por los sedantes
- Egocéntrico y engreído
- Mentalidad estrecha
- Hiperactividad

Todos los problemas emocionales mencionados anteriormente le llevan a crear vínculos y relaciones poco saludables. Curiosamente, un plexo solar desequilibrado puede tener efectos diferentes en cada persona. A algunas personas les resulta difícil expresarse, mientras que otras se vuelven excesivamente rígidas y controlan su comportamiento. Algunos individuos se ven a sí mismos como víctimas con una mentalidad necesitada. No pueden defenderse por sí mismos y emprender acciones positivas.

Cuando se equilibra la energía de su manipura, se le capacita para comprender la importancia de la identidad, el poder y la individualidad. Obtiene una visión profunda de estos aspectos de su personalidad, lo que le ayuda a obtener el autoconocimiento que, a su vez, le permite crear relaciones saludables, felices y significativas.

Cómo desbloquear y abrir el chakra del plexo solar

Hay muchos métodos que puede utilizar para despejar los bloqueos y abrir el plexo solar. Veamos algunos de ellos.

Afirmaciones positivas

Las afirmaciones positivas sobre el poder personal son una gran manera de restablecer la armonía en su plexo solar. Puede decir estas afirmaciones en voz alta, decirlas en su mente como parte de su meditación, o incluso escribirlas en su libro. Estas afirmaciones invierten los patrones de pensamiento negativos, sustituyéndolos por ideas y conceptos positivos que se incrustan profundamente en la mente subconsciente, convirtiendo así la positividad en un hábito feliz en su vida. He aquí algunas afirmaciones positivas para el manipura:

- Me siento poderoso, confiado y tranquilo.
- Estoy preparado para afrontar los retos que se me presenten.
- Estoy motivado para perseguir y realizar mi propósito y mis sueños.
- Soy capaz de lograr mis ambiciones.
- Me perdono a mí mismo por mis errores y los dejo ir después de aprender de ellos.
- Soy capaz de provocar cambios positivos en mi vida.
- Conozco, aprecio y represento mi poder personal.

Conexión con el Sol

El elemento del chakra del ombligo es el fuego. Por lo tanto, caminar o hacer ejercicio durante 20-30 minutos al sol es una gran manera de armonizar la energía desequilibrada en este chakra. Si no puede salir al exterior, puede visualizar el poder del sol. Visualice el calor y la calidez que crea y difunde. En su mente, sienta su calor. Imagine que la luz del sol llena su cuerpo y su mente de sabiduría y conocimiento. Imagine que la luz del sol llena cada célula, tejido y órgano de su cuerpo y lo energiza.

Asanas de yoga para el plexo solar

Las asanas de yoga son posturas y movimientos corporales que son excelentes para aportar flexibilidad y realinear las perturbaciones energéticas en los cuerpos físico y sutil. Las asanas para manipura son las siguientes:

Paschimottanasana o flexión clásica hacia delante

La asana de la flexión hacia delante es una de las más eficaces para limpiar y purificar el sistema digestivo. Mejora la circulación sanguínea y restablece la funcionalidad óptima de órganos como el hígado, los intestinos, el páncreas y el bazo.

Por lo tanto, el proceso digestivo recibe un impulso considerable. Además, esta asana ayuda a prevenir el estreñimiento, otro síntoma físico común asociado a un manipura desequilibrado. Cuando repite esta asana constantemente en su práctica diaria de yoga, la capacidad de su cuerpo para absorber los nutrientes de los alimentos que consume también mejora.

Ardha matsyendrasana o media torsión de la columna vertebral

Esta asana consiste en girar suavemente la columna vertebral hasta la mitad, lo que supone un excelente masaje para todos los órganos digestivos, especialmente el páncreas y la vesícula biliar. En consecuencia, mejora la desintoxicación de su sistema digestivo, lo que, a su vez, mejora la digestión y la absorción.

Dhanurasana o la postura del arco - En esta asana, se dobla hacia atrás como un arco, lo que permite que los órganos digestivos, especialmente el páncreas y el hígado, reciban un gran masaje. Esta postura también ayuda a mejorar el proceso de eliminación de residuos y toxinas, ya que aumenta la eficacia del proceso digestivo. Además, la postura del arco permite el estiramiento del cuello, lo que resulta en la estimulación de las glándulas tiroideas. En consecuencia, la secreción de hormonas mejora y el metabolismo recibe un buen impulso.

Prácticas de hatha yoga para el plexo solar

Múltiples prácticas de hatha yoga ayudan a estimular y equilibrar la energía en el manipura. Veamos algunas de ellas.

Uddiyana bandha - Un bandha en el hatha yoga significa que se "bloquea" o "sella" un segmento particular del cuerpo con fines de curación y corrección. El uddiyana bandha o elevación abdominal es uno de los "sellos" más potentes en el hatha yoga, en el que se succiona la pared abdominal hacia el final de la exhalación mientras se mantiene la respiración.

En esta posición, todos sus órganos abdominales se elevan a una posición más alta de lo esperado hacia el pecho, estimulando todos los órganos digestivos. Esta postura estira el diafragma respiratorio llevándolo a una posición mucho más alta que la que se consigue con la respiración normal.

Agnisar kriya - Esta práctica de pranayama es excelente para eliminar las toxinas del cuerpo y equilibrar el sistema inmunológico. Es una magnífica kriya para estimular y armonizar el chakra manipura. Esta práctica requiere mover el abdomen hacia adentro y hacia afuera, fortalecer los músculos abdominales y agitar el vientre. En muchos sentidos, es como alimentar literalmente el fuego del plexo solar. Tiene el poder de eliminar y despejar todos los problemas digestivos.

Nauli - Este pranayama de hatha yoga es también una práctica que "mueve el estómago" y ayuda a fortalecer los músculos y órganos abdominales. Una de las reglas principales del hatha yoga es que cada músculo del cuerpo debe moverse al menos una vez durante el día. Este pranayama asegura que cada músculo abdominal se mueva. Nauli activa el chakra manipura y alimenta el fuego digestivo. Estimula el metabolismo y refuerza el sistema inmunológico.

También puede utilizar los siguientes consejos para sanar su chakra del plexo solar:

- Aprender y practicar el reiki
- Comer alimentos de color amarillo y vestir prendas de color amarillo
- Pasar tiempo realizando actividades bajo el sol
- Visualizar un círculo de luz amarillo en su abdomen e imaginar que aumenta de tamaño
- Meditar utilizando los siguientes cristales: topacio dorado, ámbar, citrino, piedra solar y calcita amarilla

- Utilice los siguientes aceites esenciales, hierbas y especias, o frutas y verduras en su rutina diaria: casia, bergamota, cilantro, clavo, jengibre, hinojo, bayas de enebro, pomelo y gaulteria

El manipura es la sede de Agni, el dios del fuego. El elemento fuego tiene el poder de quemar lo negativo y mantener los aspectos positivos de su vida. Un plexo solar bien equilibrado es vital para el bienestar físico, emocional y mental. Estos son algunos de los signos de un plexo solar bien equilibrado:

- Asume la responsabilidad de sí mismo y de sus actos
- Es cariñoso, espontáneo y fiable
- Tiene un sano sentido del humor y del juego
- Puede afrontar retos y tomar decisiones críticas sin miedo

Puede afrontar retos y tomar decisiones críticas sin miedo

Un manipura sano elimina la sensación de inseguridad y le ayuda a conectar con su poder inherente. Puede conectar con el propósito de su vida y relacionarse fácilmente con su contribución al logro del éxito y la felicidad, y sentirse orgulloso de ello. En consecuencia, experimenta prosperidad tanto en su vida personal como profesional.

Además, cuando su plexo solar está equilibrado y funciona de forma armoniosa, le resulta fácil desprenderse de las emociones negativas y su actitud de codependencia se reduce considerablemente. Comprende y aprecia su autoestima mucho mejor que antes, ya que su excesiva atención a las cosas mundanas también se reduce. Este tipo de avance constante es posible cuando busca, identifica y trabaja continuamente en los bloqueos y desequilibrios energéticos de su manipura.

Capítulo 7: El cuarto chakra: Anahata (el corazón)

El chakra del corazón o anahata es el más influyente de los siete chakras. Cuando abre el chakra del corazón, sus conductos para dar y recibir no están obstruidos, y se siente conectado con el mundo a través del dar y recibir. El chakra del corazón representa el equilibrio, la autocompasión, la serenidad y la calma.

Comprender el anahata

Antes de profundizar en él, he aquí un breve resumen para empezar a conocer el cuarto punto energético que se inspira en el amor y la divinidad:

- Su nombre en sánscrito es anahata.
- El color asociado al chakra del corazón es el verde.
- La semilla o bija mantra es YAM.
- Se encuentra en la región del corazón.
- Está relacionado con el elemento aire.
- La glándula vinculada al chakra del corazón es el timo.
- La función psicológica del cuarto chakra está relacionada con el amor, la confianza, el apego y la pasión.
- Las dos asanas de yoga más eficaces para el anahata son la matsyasana y la ardha setubandhasana.

Una flor de loto de 12 pétalos simboliza el chakra del corazón con un "shatkona", una figura formada por dos triángulos opuestos superpuestos que crean una estructura de seis esquinas. El "shatkona" es un símbolo hindú que representa la unión de los aspectos masculino y femenino del cosmos. Representa la unión de Purusha (o el ser supremo) y Prakriti (o la naturaleza).

Las siguientes sílabas sánscritas están inscritas en los 12 pétalos. Los vrittis (o las cualidades divinas del corazón) se mencionan en cada una de las sílabas de la lista siguiente:

1. Kam - felicidad
2. Kham - paz
3. Gam - armonía
4. Gham - amor
5. Ngam – comprensión
6. Cham - empatía
7. Chham - claridad
8. Jam - pureza
9. Jham - unidad

10. Nyam – compasión

11. Tam - bondad

12. Tham - perdón

Además, se considera que estos vrittis corresponden a las diversas respuestas y reacciones reflexivas de una mente desconectada de la mente divina. Se cree que cada uno de los siguientes 12 elementos, correspondientes a los 12 vrittis, tiene sus raíces en la ignorancia espiritual:

1. Asha - deseo, esperanza, voluntad

2. Cinta - ansiedad, reflexión

3. Cesta - esfuerzo

4. Mamta - cariño, posesividad

5. Dhamba - vanidad, arrogancia

6. Viveka - discriminación

7. Vikalata - pereza

8. Ahamkara - orgullo, egoísmo, presunción

9. Lolota - avaricia, codicia

10. Kapatata - hipocresía, duplicidad

11. Vitarka - argumentación, indecisión

12. Anutapa - miseria, arrepentimiento

Curiosamente, la mitad de estos vrittis asociados al chakra del corazón son "positivos", mientras que la otra mitad son "negativos". También se cree que los negativos son mecanismos de defensa "neutrales" o de "autojustificación que aprendemos debido a la ignorancia espiritual. Estos vrittis "negativos" expanden nuestro ego, alejándonos aún más del espiritualismo.

Y, sin embargo, nuestro limitado y restringido sentido del yo impulsado por el ego tiene el poder (aunque sea mínimo) de discriminar entre lo bueno y lo malo. El equilibrio, la proporción y la armonía son los elementos clave del anahata que nos ayudan a determinar e identificar la diferencia entre la virtud que promueve nuestro autocrecimiento y el vicio que se interpone en el camino del crecimiento espiritual.

El significado de "anahata" en sánscrito es ser "no vencido" o "no estructurado". "Anahata nad" es un concepto védico que describe la "creación del sonido sin tocar dos partes o cosas". Esto es considerado como el "sonido del reino celestial". Por lo tanto, anahata (el chakra del corazón) significa un amor infinito e imparcial arraigado en el reino celestial que le permite entenderse mejor a sí mismo y al mundo.

"Anahata" también se traduce como "limpio", "puro" o "inoxidable", lo que significa que es un estado mental en el que nos desprendemos por completo y podemos contemplar experiencias vitales aparentemente contradictorias abiertamente. Hay una sensación de "pureza" cuando se ven las experiencias de la vida en este estado mental.

Normalmente, los seres humanos no están acostumbrados a gestionar los enfrentamientos provocados por dos fuerzas opuestas. Sin embargo, en el nivel de un chakra del corazón equilibrado y armonizado, se cree que es posible integrar las dos fuerzas opuestas sin los efectos desagradables de la confrontación (similar a "sin tocar las dos partes").

Situado en la región del corazón, el cuarto chakra está en el centro del pecho. Está situado en el canal central de la médula espinal, cerca del corazón. El chakra del corazón invita a meditar sobre las diferentes capas y niveles de las experiencias relacionadas con un corazón abierto. La energía del chakra del corazón está relacionada con la integración y la cooperación, aportando paz y una perspectiva no conflictiva del mundo.

Los tres chakras anteriores, es decir, muladhara, svadhisthana y manipura, están hechos para lidiar con enfrentamientos conscientes de fuerzas opuestas. El anahata es un efecto sinérgico de las interacciones entre las energías de fuerzas opuestas.

El color asociado al anahata es el verde, que representa la vida, el crecimiento y la renovación. Este color está relacionado con la frescura, la ternura y la propia naturaleza. El verde es un color relajante para el ojo humano. Además, el verde representa la sostenibilidad y la estabilidad. La deidad del chakra del corazón es Vayu, el dios del viento. Se le representa como una figura de cuatro brazos, parecida al humo, que monta un antílope y sostiene la hierba "kusha". El antílope es el animal asociado al chakra del corazón.

El chakra del corazón es la sede de jivatma y parashakti. El jivatma es una parte del paramatma último que impregna y es también la raíz de este cosmos. Cada forma de vida tiene un jivatma dentro de ella, que es una parte del paramatma que todo lo impregna.

Parashakti es una de las tres diosas principales del shivaísmo de Cachemira, las otras dos diosas son Apara y Parpara. Es la consorte y la contraparte femenina de Shiva, el dios que representa la energía masculina del cosmos. Los upanishads describen a anahata como una "pequeña llama" que se encuentra en el interior del corazón.

En los tres chakras inferiores (el muladhara, el svadhisthana y el manipura), los seres humanos están sujetos a las leyes del karma y del destino. El anahata tiene el poder de ayudarnos a tomar decisiones basadas en nuestra naturaleza superior y no en los deseos y emociones insatisfechas de la naturaleza inferior. Cuando elegimos hacer cosas de una vocación más elevada que nuestro yo inferior, se sabe que "seguimos a nuestro corazón". El chakra del corazón también se asocia con el amor, la compasión y la caridad, así como con la curación psíquica. Cuando medita con el chakra del corazón, puede dominar lo siguiente:

- Habilidades de habla y oratoria
- Cercanía e intimidad con el sexo opuesto
- Control sobre los sentidos de otras personas
- El poder de salir y volver a entrar en su cuerpo a voluntad

Anahata está vinculado al sentido del tacto y de las acciones, por lo que también está relacionado con nuestras manos y nuestra piel.

Síntomas de un anahata bloqueado

Cuando el flujo de energía en el chakra del corazón no es óptimo, nos sentimos aislados, solos y desconectados. Esto sucede porque estamos heridos, y nos estancamos en el dolor de esa herida, que necesita ser sanada para que los bloqueos energéticos desaparezcan. En consecuencia, nos invade la ansiedad.

Gracias a las cuestiones no resueltas, la mayoría de nosotros perdemos la capacidad de confiar porque sentimos miedo de compartir nuestros sentimientos con los demás. Los traumas infantiles no resueltos también afectan a la salud del chakra del corazón. Los síntomas de un anahata desequilibrado incluyen:

- Desconfianza en las relaciones
- Miedo al rechazo
- Problemas para dar y recibir amor y afecto
- Problemas de codependencia
- Comportamiento distante y desvinculado con las personas que se preocupan por usted
- Ocultar la vulnerabilidad interior con una fachada impasible y dura

El chakra del corazón, como ya sabrá, está profundamente conectado con el amor y la compasión. Por lo tanto, significa que la energía de su chakra del corazón juega un papel importante en su vida amorosa. Los síntomas físicos de un chakra del corazón bloqueado incluyen problemas de circulación sanguínea, palpitaciones, angina de pecho, dolor de corazón y asma. Aquí hay algunos consejos para ayudarle a identificar si su anahata está bloqueado y cómo superarlos también.

No puede seguir adelante por una relación pasada - Si se siente atascado en una antigua (e irrecuperable) relación y le resulta difícil seguir adelante, podría ser un signo de un chakra del corazón bloqueado. La mejor manera de seguir adelante es intentar recoger todas las lecciones posibles de esa relación rota y canalizar el aprendizaje para crear un camino nuevo y mejor para usted, con o sin una nueva pareja.

Cuanto más tiempo se aferre a una relación pasada irreparable, más probable será que su chakra del corazón se bloquee. Dejar ir es la mejor manera de despejar los bloqueos, aligerar su corazón y restaurar la esperanza y el amor en su vida.

Es incapaz de soltar sus rencores - Cuando alguien le hiere o le insulta, es natural que guarde rencor a esa persona durante un tiempo. Ese rencor actúa como un amortiguador y reduce el dolor que siente por haber sido herido. Sin embargo, si el resentimiento dura más que un periodo razonable y se aferra a él, incapaz de soltarlo (especialmente si la otra persona se ha disculpado o su vida ha visto días mejores desde entonces), podría ser un signo de un chakra del corazón bloqueado.

Los rencores y los pensamientos asociados a ellos suelen suponer una enorme carga para el corazón y le impiden disfrutar de su vida. Lo mejor es dejarlos ir, perdonando y olvidando el pasado y a las personas que le causaron dolor y heridas. Aferrarse al dolor es un obstáculo para experimentar las alegrías.

Otra forma de guardar rencor podría manifestarse en forma de aferrarse a dolores pasados. Si ha sido abandonado antes, el dolor resultante podría convertirse en rencor contra las personas que quieren amarle y cuidarle. Debe dejar ir los dolores del pasado y seguir adelante en su vida.

Tiene problemas de confianza - Cuando su chakra del corazón está bloqueado, le resulta difícil confiar en la gente. Le impulsa el miedo a ser herido y traicionado de nuevo. Sin embargo, los problemas de confianza son un factor vital que arruina cualquier relación. Por lo tanto, tiene sentido dedicar tiempo y energía a limpiar y gestionar su confianza.

Aprenda a permitir que solo entren en su vida personas de confianza. Tómese su tiempo para aprender esta habilidad. Pero entiéndala bien y, de hecho, *domínela*. Además, si continúa obsesionándose con el miedo a no superar sus problemas de confianza, es probable que el chakra del corazón se vea afectado. Por lo tanto, debe romper el ciclo y aprender a confiar en sí mismo primero, y luego los demás lo harán automáticamente.

Es muy tímido - Una de las principales razones de la timidez es la baja autoestima. Si tiene una visión negativa de sí mismo, carece de confianza en sí mismo y su autoestima es bastante baja, lo que provoca que se aleje de la gente y de las relaciones.

El pensamiento negativo y la baja autoestima le impiden dar y recibir amor o compasión incondicionales. Todos merecemos amor, y esto solo puede ocurrir si se acepta y se ama a sí mismo en primer lugar, superando la timidez y acercándose a la gente.

Puede empezar a superar la timidez dando pequeños pasos al principio. Simplemente ábrase a alguien nuevo. Mejore su estado de ánimo. Adquiera nuevas habilidades para que su confianza en sí mismo mejore. Pronto, encontrará el valor para romper el muro de la timidez y permitir que el amor y la compasión fluyan dentro y fuera de su corazón.

Tiene problemas de compromiso - A menudo, el miedo a comprometerse con una relación puede tener su origen en una o más de las siguientes razones:

- Puede que considere que está cometiendo un error con esta relación y que no tiene futuro.
- Puede sentir que podría haber alguien mejor para usted.
- Puede que sienta que esta persona no es su alma gemela.

Si desea encontrar la felicidad en una relación, entonces debe encontrar el valor para superar estas excusas y hacer un esfuerzo para trabajar en su relación actual. Escriba las razones por las que no quiere, ni desea, comprometerse con esta relación. Este proceso de escribir en el diario le ayudará a despejar la confusión al tiempo que desbloquea la energía en el chakra del corazón. Además, podrá entenderse a sí mismo, a sus necesidades y a las razones por las que se está conteniendo.

A menudo, los problemas de compromiso también pueden estar relacionados con la dilación. Si siente un intenso deseo de aplazar el encuentro con la gente y de encontrar a alguien con quien pueda construir una relación, esto podría ser un signo de problemas de compromiso. Tiene que trabajar en sí mismo y superar esta actitud si quiere abrir su chakra del corazón y permitir que el amor incondicional entre y salga.

Siempre ha reprimido sus emociones - Reprimir las emociones es uno de los principales factores que contribuyen a bloquear el chakra del corazón porque se acumula mucha presión en la zona del pecho, lo que produce ansiedad. Retener sus sentimientos es una forma segura de impactar negativamente en su vida amorosa. Por lo tanto, es esencial encontrar formas seguras y eficaces de liberar las emociones reprimidas y despejar los bloqueos energéticos. Aquí le ofrecemos algunos consejos:

- Llorar o gritar en la ducha o en cualquier lugar privado y tranquilo.
- Salir de excursión o de paseo, ya sea solo o con alguien en quien confíe y con quien pueda compartir sus sentimientos más íntimos.
- Buscar alguna forma de curación, como el reiki o incluso un masaje corporal relajante.

Además, puede recurrir a la ayuda de un terapeuta profesional para que le ayude a superar los problemas subyacentes relacionados con sus emociones reprimidas y bloqueadas. Un buen psíquico también puede ser de ayuda en este sentido.

Cómo desbloquear y abrir el chakra del corazón

Un chakra del corazón que fluye libremente y está completamente abierto llena su vida de abundancia. Siente amor, compasión y empatía por sí mismo y por las personas de su vida. Vive su vida con autenticidad, ya que le resulta fácil identificar su verdadero yo en lugar de tratar de ajustarse a los estímulos externos. Aprende a confiar en sí mismo y a respetar a los demás. Hay muchas maneras de desbloquear y armonizar la energía de su chakra del corazón.

Afirmaciones positivas

Las afirmaciones no solo ayudan a alterar los malos hábitos mediante el cambio de patrones de pensamiento, sino que mejoran directamente la energía positiva asociada al anahata. Además, mantener un diario de gratitud para reconocer y apreciar los numerosos milagros en nuestras vidas es una gran manera de limpiar el chakra del corazón. Puede utilizar las siguientes afirmaciones positivas para el chakra del corazón:

- Me acepto y me quiero completa e incondicionalmente.
- Soy amado y deseado.
- Abro mi corazón para recibir y dar amor.
- Me perdono a mí mismo.
- Vivo en un estado de gratitud y gracia.

Pranayama para el chakra del corazón

El chakra del corazón está conectado con el elemento aire. Por lo tanto, trabajar la respiración a través del pranayama es una excelente manera de limpiar los bloqueos energéticos. Practicar "anuloma viloma" es una opción maravillosa no solo para limpiar el chakra del corazón sino también para equilibrar los hemisferios derecho e izquierdo del cerebro.

"Anuloma viloma" consiste en respirar por las dos fosas nasales mientras se cierra una de ellas. Se empieza cerrando la fosa nasal izquierda e inhalando por la derecha. Luego, se cierra la fosa nasal derecha y se exhala por la izquierda. Este proceso se invierte y se repite. Este pranayama tiene múltiples beneficios, como la mejora de la respiración y la circulación y la reducción del estrés, lo que, a su vez, aumenta la tranquilidad y la paz mental.

Meditación del mantra de la semilla

La meditación es una experiencia personal que despeja las telarañas de los pensamientos en su cabeza y le da una sensación de calma y paz. Le ayuda a lidiar con la ansiedad y el estrés. El mantra semilla del chakra del corazón es **YAM**. Se cree que cantar este mantra mientras se medita sana el centro del corazón tanto físico como espiritual. Meditar en **YAM** abre su corazón a la compasión y al amor incondicional. Puede utilizar los siguientes pasos para hacer la meditación del mantra de la semilla para el chakra del corazón:

Siéntese cómodamente, preferiblemente con las piernas cruzadas en el suelo. Si no, puede sentarse en una silla con la espalda cómodamente recta.

Visualice una luz verde que brilla en el centro de su corazón. Concéntrese en esta imagen mientras canta **YAM**. Imagine que la luz verde fluye desde su corazón hacia todos los rincones de su cuerpo, energizando cada célula. Las vibraciones creadas por el canto de la sílaba sánscrita **YAM** crean sentimientos positivos.

También puede utilizar las siguientes sugerencias para equilibrar y corregir los bloqueos energéticos en el anahata:

Siga una dieta verde alineando su consumo de alimentos con el color asociado al chakra del corazón. Esto equilibra el flujo de energía alrededor de la región del corazón. Puede incluir uno o más de los siguientes alimentos en su dieta diaria: col rizada, espinacas, matcha, brócoli, té verde, manzanas verdes y pepinos. Además, los dietistas recomiendan las verduras de hoja verde para el desarrollo saludable del cuerpo y la mente.

Practique el perdón. Cuando nos enfrentamos a las dificultades de la vida, tendemos a juzgarnos y resentirnos. Perdonar a todo el mundo, incluso a usted mismo, por los errores cometidos es el primer paso para abrir el corazón a la felicidad y el amor. No es fácil perdonar y requiere mucho esfuerzo. Sin embargo, una vez hecho, se encontrará liberado de la carga de llevar la tristeza y el resentimiento en su corazón y mente. Experimentará la paz interior.

La energía del anahata y sus manifestaciones tienen un profundo impacto en nuestra vida y personalidad. Cuando su chakra del corazón está equilibrado, puede llevar una vida significativa y equilibrada. Su camino de autodescubrimiento se abre, lo que, a su vez, le ayuda a crear relaciones felices con los demás.

Capítulo 8: El quinto chakra: Vishuddha (la garganta)

El quinto chakra es el chakra de la garganta y representa la pureza y la purificación. El chakra de la garganta tiene el poder de desintoxicar las impurezas de su cuerpo y mente y restaurar el flujo de energía obstaculizado a través de los chakras y los nadis.

Comprender el chakra vishudda

Como siempre, vamos a empezar con un resumen del chakra de la garganta:

- El nombre sánscrito es vishuddha chakra.
- El color asociado a él es el azul brillante.
- La semilla o bija mantra es HAM.
- Se encuentra en la base de la garganta.
- Está relacionado con el elemento del espacio.
- Controla la glándula tiroides.
- Las funciones psicológicas del vishuddha incluyen la expresión, la inspiración, la fe y la capacidad de comunicación.
- Las dos asanas más importantes del chakra de la garganta son sarvangasana y halasana.

Situado en la base de la garganta y en el centro de la laringe, la energía del chakra de la garganta gobierna la comunicación, estableciendo una fuerte conexión entre la comunicación verbal y la no verbal. También representa la expresión y la inspiración.

El color azul se asocia con el vishuddha. El azul es el color de la comunicación y explora todos los niveles de autoexpresión. Este color nos da el poder de decir la verdad. Además, como el azul se encuentra en el extremo más frío del espectro cromático, permite experimentar la paz y la calma. El azul representa una mente despejada, clara y tranquila.

El símbolo del chakra de la garganta es un loto de 16 pétalos. Los pétalos son de color púrpura o humo. En el centro hay un triángulo azul que apunta hacia abajo, y en el centro de este triángulo hay un círculo blanco que representa la luna llena.

Los 16 pétalos llevan inscritas 16 sílabas sánscritas que representan los siguientes vrittis:

- El mantra Aum
- El mantra Sama

- Los mantras HANG, PHAT, WASHAT, SWADHA, SWAHA y NAMAK
  - El néctar divino Amrita
  - Las siete notas musicales

El visuddha está asociado con el éter, el espacio o el elemento akasha. Con el espacio se abre la perspectiva. Simboliza la energía para buscar y decir la verdad. El visuddha también representa nuestra comunicación con nuestro ser interior. Cuando la energía del chakra de la garganta está equilibrada, puede escuchar y oír la guía de la energía pura, lo que, a su vez, nos ayuda a conectar con los demás y a comprender sus sentimientos.

El círculo blanco representa el akasha, el elemento del chakra de la garganta. Puede visualizar el quinto chakra como un espacio sagrado que rodea la garganta y el cuello a través del cual pueden fluir las verdades espirituales. El concepto de purificación relacionado con el vishuddha implica que hay que trabajar y corregir otros centros energéticos si se quiere aprovechar los poderes del chakra de la garganta.

Esta región está representada por la deidad Ambara, que se representa de blanco, sentada en un elefante blanco. Se le muestra con cuatro brazos que sostienen una cabriola y un lazo en dos manos. Las otras dos manos muestran gestos que representan la disipación del miedo y la concesión de bendiciones. Además, la luna creciente es el símbolo del sonido cósmico puro, llamado "nada" en sánscrito. La media luna simboliza la pureza, que es una parte vital del vishuddha.

Es interesante suponer que ha identificado y abordado problemas en los cuatro chakras anteriores, concretamente muladhara, svadhisthana, manipura y anahata. En ese caso, su capacidad para identificar y rectificar los problemas en su vishuddha se vuelve más sencilla. Cuanto más control tenga sobre sus chakras inferiores, mejor será su comprensión y sensibilidad con respecto a sus chakras superiores.

La semilla o bija mantra del vishuddha es HAM. La deidad Sadashiva es representada en el "bindu" de la sílaba semilla. Se le muestra con cinco caras que representan los cinco sentidos: olfato, gusto, tacto, vista y oído. También se le muestra con diez brazos. Lleva piel de tigre.

La parte izquierda de Sadashiva es Shiva, representado en color blanco, y la parte derecha de esta deidad se representa como una shakti dorada, la consorte de Shiva, y que representa el aspecto femenino del cosmos.

Sadashiva sostiene un cincel, un tridente, un vajra, una espada, una serpiente gigante, un vajra, un caballete, una campana y un lazo. Se muestra una de sus manos, que representa un gesto para disipar el miedo.

El aspecto shakti de Sadashiva es una Shakini de color blanco, que está sentada sobre un loto rojo. Esta diosa de cuatro brazos tiene cinco caras, cada una con tres ojos. Sostiene un lazo, un arco y una flecha, y un caballete.

El chakra de la garganta se conoce como el centro de purificación. El néctar divino, amrita, del "bindu" del chakra gotea en este centro de energía y se divide en dos elementos; un veneno y una forma pura del néctar. En su forma abstracta, el chakra de la garganta está conectado con la creatividad, la autoexpresión y los poderes superiores para la discriminación.

Cuando la energía del chakra de la garganta se cierra por completo, se cree que la persona sufre la muerte y la decadencia. Cuando está completamente abierto, incluso las experiencias negativas se convierten en aprendizaje y sabiduría. El éxito o el fracaso de una persona depende del estado de este chakra, si está limpio o contaminado.

El chakra de la garganta se asocia con lo siguiente:

- Su capacidad de decir la verdad.
- Su capacidad de expresar ideas con elegancia y claridad.

- Su capacidad para sintonizar con sus vibraciones internas y externas.

El chakra de la garganta está relacionado con el funcionamiento de los oídos y la boca y la zona de la garganta. Al estar relacionado con la escucha y la audición, está conectado con los oídos y, al estar vinculado con el poder del habla, está asociado con el funcionamiento de la boca.

La glándula asociada al chakra de la garganta es la glándula tiroidea que se encuentra en la zona del cuello. Esta glándula produce hormonas esenciales para el crecimiento y la maduración. El estrés excesivo causado por el miedo a hablar en voz alta puede causar un mal funcionamiento de la glándula tiroidea.

Señales de un chakra de la garganta bloqueado

Al igual que los bloqueos en los otros chakras, un chakra de la garganta desequilibrado puede manifestarse con los siguientes síntomas físicos:

- Dolor de garganta crónico y a menudo no detectable.
- Fluctuaciones en los niveles hormonales.
- Problemas con la glándula tiroidea.
- Dolores de cuello y hombros.
- Problemas y dolores en la mandíbula.
- Problemas de audición.

Un chakra de la garganta bloqueado se manifiesta a través de síntomas mentales y emocionales también. Estos son algunos de ellos:

- Incapacidad para articular sus necesidades y deseos.
- Incapacidad de encontrar las palabras adecuadas para describir sus sentimientos, necesidades y deseos.
- Se siente incomprendido, lo que, a su vez, le hace ser agresivo.

- Utiliza muchas palabras y acciones negativas.
- Incapacidad para crear el mundo que desea.
- Poca capacidad de comunicación.

Los bloqueos perpetuos en el chakra de la garganta pueden hacerle arrogante, dominante, engañoso y manipulador. Del otro lado del espectro, puede volverse estoico, temeroso y callado.

Una de las razones más importantes para que la energía kundalini ascendente se quede atascada en el chakra de la garganta sin avanzar más hacia arriba está relacionada con los sentimientos de culpa. Por lo tanto, si tiene sentimientos de culpa no resueltos, entonces es probable que su energía kundalini, que ha logrado elevar desde el chakra raíz hasta el chakra de la garganta, se estanque en este punto.

Cómo desbloquear y abrir el chakra de la garganta

Cuando trabaja para desbloquear y despejar los obstáculos energéticos del chakra de la garganta, maximiza sus posibilidades de crear una vida feliz, significativa y equilibrada. Como sus habilidades de comunicación tienen un impacto en toda su vida, debe alinear la energía del quinto chakra.

Afirmaciones positivas

La repetición de afirmaciones rompe los viejos y limitantes patrones de pensamiento y ayuda a crear otros más efectivos y saludables. Las afirmaciones relacionadas con el chakra de la garganta tienen que ver con la apertura de sus canales de comunicación y con la autenticidad. Puede utilizar las siguientes:

- Me comunico con facilidad y confianza.
- Hablo con autenticidad.
- Hablo desde mi verdad más elevada.
- Escucho las opiniones de los demás sin juzgarlos.
- Me siento cómodo diciendo lo que pienso.

- Mantengo el equilibrio en mis habilidades para hablar y escuchar.
- Expreso mis pensamientos con claridad.
- Establezco límites claros.
- Soy un oyente activo.

Estas afirmaciones están alineadas con los sentimientos de expresividad y autenticidad. También puede entonar el mantra semilla HAM mientras medita. Las vibraciones de la sílaba HAM ayudan a abrir el chakra de la garganta para que la energía comunicativa pueda fluir a través de él sin bloqueos.

Asanas de yoga para el chakra de la garganta

Las siguientes prácticas de hatha y kundalini yoga ayudan a despejar los bloqueos energéticos del chakra de la garganta:

Salamba sarvangasana o la postura sobre los hombros - Esta postura se conoce a menudo como la "reina de todas las asanas de yoga". Aunque lleva tiempo y esfuerzo aprenderla y dominarla, esta asana es muy beneficiosa para el cuerpo y la mente. Esta postura estira los músculos de los hombros y del cuello al mismo tiempo que tonifica los glúteos, la espalda, las piernas y los músculos abdominales.

Estimula la glándula tiroidea y la garganta, por lo que esta asana es excelente para el quinto chakra. También estimula los órganos abdominales, lo que, a su vez, mejora la digestión. Otros beneficios útiles de esta asana son:

- Alivia el insomnio.
- Reduce la fatiga, el estrés y la ansiedad.
- Aumenta la circulación.
- Aumenta la fuerza y la flexibilidad.
- Mejora el funcionamiento del sistema linfático.

Jalandhara bandha o bloqueo de la garganta - Este pranayama implica la inhalación profunda y la contención de la respiración mientras se estira el cuello presionando la barbilla firmemente contra la zona del pecho entre las clavículas. En esta posición, el esófago y la tráquea se cierran firmemente.

Este ejercicio de respiración es excelente para despertar la energía del vishuddha, al mismo tiempo que mejora su capacidad de retener la respiración durante mucho tiempo. En consecuencia, su poder de concentración mejora. El funcionamiento de su tiroides también mejora significativamente.

Khechari mudra o el bloqueo de la lengua - Según algunos practicantes, se cree que el mudra "khechari" es el "rey de todos los gestos". Implica el movimiento de la lengua y el paladar. Consiste en curvar la punta de la lengua y moverla hacia atrás hasta que toque la parte blanda del paladar superior.

Cuando domine este gesto, su lengua se volverá lo suficientemente larga y flexible, y podrá llevarla hasta la cavidad nasal. Además de limpiar la energía del chakra de la garganta, este ejercicio respiratorio tiene los siguientes beneficios:

- Despeja los bloqueos en las glándulas salivales previniendo la formación de trastornos salivales.
- Se sabe que es beneficioso para mejorar los síntomas de la discapacidad auditiva, así como la falta de memoria.
- También estimula todos los chakras y no solo el de la garganta.

Curiosamente, el entorno externo y el estilo de vida tienen un impacto significativo en la energía del chakra de la garganta. Comer alimentos poco saludables y respirar aire contaminado puede bloquear el flujo de energía en esta zona. Por lo tanto, comer alimentos saludables y respirar aire puro y no contaminado desempeña un papel esencial en el equilibrio de la energía del chakra de la garganta.

Los alimentos que ayudan a equilibrar el chakra de la garganta son los alimentos integrales, como el arroz integral. Las frutas que crecen en los árboles (como las manzanas y las naranjas) son buenas para la garganta. Las especias simples y suaves, como el jengibre, la hierba de limón y la sal, ayudan a sanar el chakra de la garganta. Además, debe reducir su consumo general de azúcar, lo cual es bueno para todos sus chakras.

Leer en voz alta es una gran manera de limpiar la energía de su chakra de la garganta. Incluya los colores azules en su vida usando ropa y accesorios azules, utilizando tinta azul para escribir y comiendo alimentos azules. También puede utilizar accesorios azules en su casa. Por ejemplo, tener una planta de interior con flores azules puede ayudarle a calmar los agitados niveles de energía del chakra de la garganta.

Se cree que meditar con el chakra de la garganta otorga al practicante los siguientes poderes ocultos:

- La capacidad de ver el pasado, el presente y el futuro.
- Protección contra la vejez y la enfermedad.
- La eliminación de todos los peligros.
- La capacidad de mover los tres mundos.

Otra herramienta excelente para estimular la glándula tiroidea es el canto. Activa el chakra de la garganta y despeja los bloqueos. Cualquier daño físico recibido en la zona del cuello puede dañar el vishuddha. Aquí hay algunos pasos más básicos que pueden ayudar a limpiar los bloqueos de energía en su vishuddha:

- Trabajar en sus emociones negativas como la culpa, el resentimiento, el dolor y el daño puede restaurar el equilibrio en su chakra de la garganta. Incluso un simple llanto le ayudará a liberar el estrés en el quinto chakra.
- Vivir una vida de atención plena, incluyendo la práctica de la atención a la acción, el habla y el estilo de vida, le ayudará a eliminar los bloqueos de energía en el chakra de la garganta. Vivir una vida abierta y honesta.

Cuando la energía de su chakra vishuddha está equilibrada, fluye suavemente y esta armonizada, su corazón y su mente trabajan en sintonía. Contribuye a preservar la buena salud. El chakra de la garganta actúa como un puente que conecta su corazón y su mente, integrando tanto la sabiduría como el poder para asegurar que la sabiduría espiritual fluya sin obstáculos entre ambos. Además, la sensación de poder y libertad que experimenta al equilibrar el chakra de la garganta le ayuda a comprender su auténtico yo.

Su poder de comunicación mejorará significativamente. No le resultará difícil articular sus necesidades y deseos de forma eficaz para poder construir la vida que desee, asegurándose de establecer límites saludables, incluso abriendo su corazón para recibir y dar amor incondicional.

El poder y la energía de su chakra vishuddha son sus mayores fortalezas y juegan un papel esencial en la curación de todos los demás chakras. Por lo tanto, debe trabajar en el desequilibrio de su chakra de la garganta para que todo su cuerpo y su mente, junto con todos los demás chakras, sanen.

Capítulo 9: El sexto chakra: Ajna (el tercer ojo)

El tercer ojo, el sexto de los siete chakras primarios, es el centro de la intuición, la percepción y la conciencia. Profundicemos en este fascinante punto energético.

Comprender el chakra ajna

Un breve resumen del sexto chakra:

- Su nombre en sánscrito es ajna chakra.

- Se asocia con el color azul índigo.

- La semilla o el bija mantra es OM.

- Se encuentra entre las cejas.

- El ajna chakra está conectado con el elemento materia (o energía bruta).

- Las glándulas vinculadas al chakra del tercer ojo son la glándula pituitaria y el hipotálamo.

- Las funciones psicológicas del chakra ajna son la intuición, la inteligencia, el autoconocimiento, la perspicacia y la comprensión.

- La asana del chakra ajna es shirshasana.

Ajna se traduce como "frente" en sánscrito. Es una parte del cerebro cuyo poder y fuerza pueden ser aumentados a través de prácticas espirituales, incluyendo la meditación y el yoga, al igual que puede aumentar la fuerza de sus músculos con ejercicios diarios. La ubicación del chakra ajna es el lugar donde los hindúes ponen ceniza sagrada y/o bermellón para mostrar su respeto por el poder de este punto energético.

Según el hinduismo, el chakra ajna significa la mente subconsciente, que enlaza directamente con paramatma o brahman, la verdad cósmica última que no tiene principio ni fin. Un chakra del tercer ojo despierto ayuda a conectar con la intuición que, a su vez, permite comunicarse con el mundo exterior. Las personas que han dominado el chakra ajna están facultadas psíquicamente para ver el pasado y el futuro.

El chakra ajna es el punto focal de concentración para los practicantes de yoga y meditación. Está situado en el centro de la cabeza, entre las cejas. Sus dos ojos "físicos" tienen el poder de ver el pasado y el presente de nuestras vidas. El tercer ojo, situado justo en medio de los dos ojos físicos, nos permite ver nuestro futuro.

El chakra ajna le ayuda a conectar con el mundo exterior a través de su visión interior. El poder que se recibe de este punto de energía va más allá de las distracciones y deseos mundanos a fin de ayudarle a conectar con su ser espiritual superior. Cuando despierta el tercer ojo, puede aumentar su conciencia y trascender a reinos superiores.

El símbolo es un loto de dos pétalos en cuyo centro hay un triángulo invertido circunscrito por un círculo. El bija mantra del chakra del tercer ojo es OM, que está inscrito en el triángulo invertido. El triángulo invertido y la flor de loto también representan la sabiduría y la inteligencia interior.

Se cree que el OM, también llamado pranava OM, es el sonido de todos los sonidos. Es el sonido primordial considerado la máxima expresión cósmica.

Los dos pétalos representan los nadis izquierdo y derecho (llamados ida y pingala) que se reúnen en el nadi central de sushumna antes de ascender al sahasrara, el séptimo chakra. Las dos sílabas sánscritas inscritas en los dos pétalos son:

- HAM - en el pétalo izquierdo representa a Shiva.
- KSHAM - en el pétalo derecho representa a Shakti.

La energía femenina del chakra ajna es Hakini, que se representa en el pericarpio del loto. Tiene seis caras y brazos y una luna blanca. Sostiene una calavera, un libro y un rosario. Los gestos de sus manos se asocian a la disipación del miedo y a la concesión de bendiciones.

Sobre la representación de Hakini se muestra un triángulo invertido con un lingam blanco. El triángulo y el loto representan la sabiduría. En algunas tradiciones, el lingam blanco contiene la deidad Ardhanarishwara, una forma de Shiva-Shakti que combina aspectos masculinos y femeninos.

La libertad de pensamiento y expresión es un elemento vital para el equilibrio del chakra del tercer ojo. Teniendo en cuenta las múltiples conexiones con la sabiduría y el conocimiento interior, el chakra Ajna tiene el poder de canalizar su energía hacia el conocimiento universal para convertirse en la puerta de entrada a la conciencia superior.

El índigo es el color vinculado a este concepto. Curiosamente, las tonalidades oscuras del índigo o azul real representan la noche. El índigo representa la sabiduría y el conocimiento interior, aportando claridad a los cinco sentidos y ayudándole a transformar la energía procedente de los chakras inferiores a las vibraciones espirituales superiores. También representa un portal hacia lo divino.

Intuición y el chakra ajna

El chakra Ajna controla y mantiene sus poderes intuitivos. Cuando su chakra del tercer ojo está equilibrado, su intuición es fuerte. Cuando está desequilibrado y bloqueado, sus habilidades intuitivas también se ven afectadas. Entonces, ¿qué es la intuición o el sexto sentido?

El reino físico se experimenta con cinco sentidos que se inician incluso antes de que salga del vientre de su madre. Incluso cuando era un feto, oía la voz de su madre junto con los ruidos apagados del mundo fuera de la seguridad del vientre materno. También percibía las sensaciones del tacto y el gusto. Incluso habrá percibido un poco de luz.

Desde el momento en que nace, sus experiencias han girado únicamente en torno a estos cinco sentidos. Mediante estos cinco sentidos, ha aprendido a confiar en su sentido del tacto, el gusto, el olfato, la vista y el sonido. Aunque los cinco sentidos crean hermosas experiencias para usted, también limitan sus límites espirituales.

En algún momento habrá estado en contacto con su sexto sentido, llamado intuición. La intuición no es tan tangible como los cinco sentidos ordinarios. En cambio, es un sentido sutil que capta señales sutiles de nuestro entorno. Por ejemplo, nuestros antepasados cazadores-recolectores siempre han confiado, quizá sin saberlo, en sus poderes intuitivos para percibir peligros invisibles y no vistos, como el silencioso acecho de un depredador de la selva.

Curiosamente, su intuición suele estar alimentada por señales físicas muy sutiles. Pero a medida que la civilización humana y la ciencia han progresado, hemos perdido el contacto con este poder, gracias a la disponibilidad de numerosas herramientas científicas de medición y diagnóstico. Este poder innato de la intuición puede ser restaurado con la ayuda de su chakra ajna.

Por ejemplo, supongamos que abrimos un cartón de leche y sentimos que algo va mal, aunque no encontramos ninguna razón tangible. Parece estar bien, y aún faltan un par de semanas para la fecha de caducidad. Pregunta a otros miembros de la familia y todos coinciden en que la leche está bien.

Así que se la toma y, al cabo de unas horas, tiene un terrible dolor de estómago. Su intuición era correcta, ya que al abrir el cartón percibía un sutil "mal" olor. Lo que ocurre es que ignoró esa señal porque no confió en su intuición.

He aquí otro ejemplo. Ha firmado un excelente acuerdo comercial con alguien que parece bueno, inteligente y honesto. Sin embargo, cuando le dio la mano a la persona, hubo un tirón de energía negativa que no pudo ubicar (al menos utilizando razones tangibles y aceptables en el mundo físico). Más tarde, descubre que la persona es un delincuente.

Sus poderes intuitivos son poderosos. Solo tiene que aprender a leer e interpretar las señales que le envían. Para ello, primero tiene que aprender a confiar en que todos nacemos con una poderosa intuición. Necesita perfeccionar su capacidad para leer e interpretar las señales con precisión.

Señales de un ajna chakra desequilibrado

A medida que aumentan nuestros deseos materialistas, también aumenta nuestra desconexión con nuestro verdadero yo. Las expectativas, las decepciones, la impaciencia, las cargas del pasado y muchos más pensamientos e ideas negativas bloquean nuestra visión interior y el camino del autodescubrimiento. Este distanciamiento embota aún más nuestra intuición y nuestro poder espiritual innato, lo que da lugar a un tercer ojo desequilibrado. Los signos de un chakra del tercer ojo poco activo son:

- Indecisión y confusión.

- Falta de propósito y enfoque.

- Incapacidad para planificar y/o establecer objetivos.

- Mala memoria.

- Incapacidad de visualizar el futuro.

- Vivir en negación.

- Depresión y ansiedad.

- Aumento de las dudas sobre su capacidad para alcanzar sus objetivos, fomentadas por una perspectiva limitada.

Aunque el chakra del tercer ojo puede actuar de forma hiperactiva, esto no es común entre las personas del mundo moderno, ya que estamos dominados por nuestras realidades físicas y la fuerte atracción de un mundo altamente materialista. Un chakra

Ajna hiperactivo puede dar lugar a sentimientos y pensamientos abrumadores. Los signos de un chakra ajna hiperactivo son:

- Aumento de la actividad psíquica, que puede convertirse en una obsesión
- Aumento de la tendencia a la distracción
- Aumento de las experiencias paranormales
- Alucinaciones y paranoia
- Problemas de concentración
- Disociación total del mundo real y tangible

Calmar un chakra ajna hiperactivo es imprescindible para llevar una vida equilibrada y feliz en el mundo real. He aquí algunos consejos para tratar un chakra del tercer ojo hiperactivo:

- Pasar tiempo en medio de la naturaleza ayuda a calmar un chakra ajna hiperactivo.
- La conexión con el elemento tierra a través de la jardinería y las actividades agrícolas activa nuestra esencial e inherente conexión a la tierra.

Un chakra del tercer ojo desequilibrado afecta a las neuronas del cerebro y provoca los siguientes problemas:

- Dolores de cabeza y migrañas
- Problemas oculares
- Desórdenes mentales
- Insomnio
- Desequilibrios hormonales
- Trastornos en las glándulas pineal y pituitaria, así como en el hipotálamo

Cómo desbloquear y abrir el chakra ajna

Equilibrar y armonizar la energía de los siete chakras lleva tiempo y esfuerzo y requiere mucha paciencia. Un tercer ojo bien equilibrado mejora su estado espiritual y físico. Su intuición se fortalece, lo que le facilita escuchar y comprender su sabiduría interior.

Además, un chakra ajna fuerte le permite dar la misma importancia a las emociones y a la lógica para poder tomar decisiones sensatas y objetivas. Abrir el chakra del tercer ojo le ayuda a mejorar la conciencia de sí mismo, lo que, a su vez, tiene el poder de transformar su vida positivamente.

Hay muchas maneras de estimular un chakra del tercer ojo poco activo. Veamos algunas de ellas.

Asanas de yoga para el chakra ajna

El yoga es una excelente manera de calmar y aquietar su mente, un estado que es muy útil para activar el chakra ajna. Para cada postura, cierre los ojos, relájese y permita que su cuerpo se guíe a sí mismo en la asana cómodamente. De este modo, se permite estar en el momento presente, un elemento clave de la atención plena.

Sirsasana o parada de cabeza

La parada de cabeza es la mejor asana para activar el chakra ajna. Mejora la función cerebral y el funcionamiento de todos los órganos sensoriales de la cabeza. También estimula y regula todos los sistemas corporales y orgánicos. Para las mujeres, la postura parada de cabeza ayuda a superar los problemas asociados a la menopausia.

La parada de cabeza no solo invierte el cuerpo, sino que también cambia la presión sanguínea, especialmente en el cuello, la cabeza, los hombros, las arterias, las venas, los pulmones y las piernas. El cambio en la presión sanguínea hace que el cuerpo reaccione para restablecer el equilibrio en los distintos sistemas del organismo. Los tejidos y músculos de las extremidades superiores se estiran y activan. Los beneficios de la parada de cabeza incluyen:

• Estimular la función de las glándulas pineal y pituitaria y del hipotálamo, que, a su vez, regula el funcionamiento de todo el sistema endocrino.

• Acondiciona el cerebro, los ojos y los oídos gracias al aumento de la presión sanguínea.

• Mejora la memoria y la concentración.

• Reduce la fatiga, el estrés, la ansiedad y la depresión.

• Proporciona facultades reconstituyentes para el corazón proporcionándole descanso a través de la inversión de la presión sanguínea.

• Fortalece los músculos de los brazos, los hombros y la espalda.

Balasana o la postura del niño

Para realizar esta postura, siga los siguientes pasos:

• Siéntese sobre los talones con las espinillas metidas hacia dentro.

• Abra bien las rodillas.

• Estire las manos delante de usted, asegurándose de que los huesos de la cadera están firmemente colocados sobre los talones.

• Cuando sus manos no puedan estirarse más, abra los dedos y apóyelos con las palmas hacia abajo en el suelo.

• Deje que sus hombros, brazos, pecho y frente caigan y toquen el suelo.

- Al inhalar, sienta que su columna vertebral aumenta su longitud hacia el coxis desde en un extremo y hacia el chakra de la coronilla desde el otro.

- Al exhalar, sienta que se relaja mientras su cuerpo se acomoda.

- Permanezca en esta posición durante unas 3-5 respiraciones o todo el tiempo que pueda.

Viparita karani o postura de las piernas en la pared

Levante las piernas y túmbese en el suelo (las nalgas deben tocar la pared). Acérquese a la pared todo lo que pueda, aunque no la sienta. Deje que sus piernas se estiren contra la pared con los pies abiertos hacia el techo. Estire los brazos a ambos lados en línea con los hombros y con las palmas hacia arriba.

Respiración a través del chakra del tercer ojo

El método más eficaz y sencillo para limpiar el chakra del tercer ojo es respirar conscientemente. Siéntese cómodamente, asegurándose de que la columna vertebral está erguida y alargada. Cierre los ojos y concentre todas sus energías en su tercer ojo.

Al inspirar, imagine que una luz brillante y positiva entra en su cuerpo a través del chakra ajna. Mientras exhala, visualice que todas las cosas negativas, incluidos los pensamientos negativos, abandonan su sistema. Permita que su cuerpo y su mente se relajen completamente. Realice esta actividad respiratoria durante unos 5-10 minutos.

Canto del mantra de la semilla OM

Siéntese en una posición cómoda. Mantenga la columna vertebral erguida y cierre los ojos. Concéntrese en el tercer ojo y cante el mantra de la semilla OM con plena conciencia y conocimiento.

Continúe cantando y meditando en el sexto chakra durante todo el tiempo que pueda. Puede empezar cantando durante 5 minutos seguidos y aumentar poco a poco la duración hasta los 15-20 minutos a lo largo de un periodo.

Otros métodos

- Meditar en un lugar tranquilo y silencioso ayuda a estimular el chakra del tercer ojo.

- Aprender una nueva habilidad es otra forma excelente de activar el chakra ajna.

- Mantener un diario regular.

A menudo, los problemas en su sexto chakra podrían tener su origen en los problemas de los chakras inferiores. Por lo tanto, antes de trabajar en los desequilibrios de su chakra ajna, trabaje en los chakras inferiores y asegúrese de que esos puntos de energía estén equilibrados y funcionen armoniosamente.

El chakra del tercer ojo está impregnado de los poderes de la sabiduría y el conocimiento supremo. El chakra ajna integra y equilibra las cualidades espirituales y físicas aportando armonía a su cuerpo y mente. Puede practicar diariamente para conectarse con este centro de energía. Un tercer ojo despierto trae éxito, nuevas oportunidades, paz y plenitud.

Capítulo 10: El séptimo chakra: Sahasrara (la corona)

Los siete chakras primarios están simbolizados por pétalos de loto que permiten el flujo de energía a través del cuerpo. El equilibrio universal del espíritu, la mente y el cuerpo se produce cuando todos los pétalos de los chakras están abiertos. El poder de alcanzar y conectar con la energía divina lo encarna el chakra de la corona, el último de los siete chakras.

Comprender el chakra sahasrara

He aquí un breve resumen de los puntos pertinentes relativos al chakra de la corona antes de profundizar en él:

• Su nombre en sánscrito es sahasrara.

• Se asocia con los colores blanco y púrpura.

• Su semilla o bija mantra es AUM, el mismo que ajna, pero también está relacionado con el silencio.

• Se encuentra en la corona de nuestra cabeza.

• No está asociado a ningún elemento.

• Las funciones psicológicas vinculadas al sahasrara son la espiritualidad, la iluminación, la energía y el pensamiento dinámico.

• Está asociada a dos glándulas, el hipotálamo y la hipófisis.

Sahasrara en sánscrito se traduce como "mil" o "infinito". El séptimo chakra tiene el poder de conectarnos con el ser supremo y es el más sutil de todos. Se relaciona con la conciencia pura y se cree que es el lugar de donde emanan todos los chakras.

Un sahasrara completamente despierto significa que usted tiene acceso al suministro ilimitado de energía universal, que puede ayudarle a alcanzar la iluminación espiritual. Cuando un practicante puede elevar la energía kundalini hasta este punto, experimenta el nirvikalpa samadhi, un estado en el que la autoconciencia se minimiza, y la persona se fusiona con el ser supremo.

El sahasrara se describe como un loto de "mil pétalos" de múltiples capas. Se simboliza con 20 capas de 50 pétalos cada una. Tiene un pericarpio dorado, en cuyo centro hay una luna circular inscrita con un triángulo luminoso. El triángulo puede representarse apuntando hacia abajo o hacia arriba.

La energía del chakra de la corona está representada por el color violeta o blanco puro. Influye en el funcionamiento del cerebro y se ocupa de las funciones cognitivas como la concentración, la inteligencia y la memoria. El blanco o el violeta es el color asociado al chakra de la coronilla. El violeta representa la espiritualidad y unifica la energía de todos los demás chakras cuando se activa el sahasrara

El violeta es el color del "dejar ir" y de la transformación positiva con el potencial de llevarle a un estado de cambio profundo. El color violeta espiritualmente le ayuda a ver más allá del mundo materialista y físico para encontrar su propósito espiritual.

Señales de un sahasrara desequilibrado

La mayoría de los síntomas de un sahasrara desbloqueado se encuentran en los niveles mental y emocional. Por lo general, las personas con un chakra coronario bloqueado tienden a tener una personalidad rígida y retraída. Pueden estar excesivamente atrapadas en los afanes materialistas de la vida y están muy poco dispuestas no solo a aceptar los puntos de vista de los demás, sino que evitan escuchar lo que otros tienen que decir. Los síntomas más comunes de un chakra de la corona desequilibrado incluyen una sensación de disociación del cuerpo, una sensación de falta de conexión a tierra e incluso psicosis.

Un chakra de la corona desequilibrado puede producir algunos de estos síntomas:

- Problemas de coordinación
- Dolores de cabeza (y migrañas) que los médicos no pueden explicar
- Fatiga

Síntomas de un chakra de la corona hiperactivo:

- Indiferencia

- Pesimismo

- Tendencias autodestructivas

- Una sensación de desprendimiento de su cuerpo

- Exceso de inteligencia (se ve superado por el conocimiento o por una intensa avalancha de ideas/pensamientos

- Obsesión por las ideas espirituales

Síntomas de un chakra de la corona poco activo:

- Confusión sobre sus deseos, el propósito de su vida y lo que quiere hacer

- Adicción al sueño

- Sensación de aislamiento/separación

- Ausencia de creencia en lo divino (o en cualquier poder superior)

- Problemas para confiar en el poder del universo

- Dificultades de aprendizaje

- Falta de inspiración

Cómo abrir y desbloquear el chakra de la corona

El sahasrara guía e impulsa nuestro intelecto emocional y espiritual. La energía necesaria para esta actividad se toma de los otros seis chakras. Por lo tanto, es vital que trabaje, construya y equilibre los otros chakras inferiores para activar y potenciar el séptimo chakra.

Afirmaciones positivas

Las afirmaciones positivas son técnicas excelentes para equilibrar todos sus chakras. Cada chakra tiene su conjunto designado de funciones y controles. Puede crear afirmaciones positivas para usted y repetirlas en sus sesiones de meditación o en cualquier otro momento conveniente.

Aquí hay algunos muy buenos para el chakra de la corona. Todos ellos promueven la confianza en uno mismo y la autoestima sin juicios, ayudando así a abrir el sahasrara:

- La divinidad reside en el interior.
- Soy uno con lo divino.
- Soy uno con el ser superior.
- Soy una extensión y parte del universo.
- Soy amado y aceptado incondicionalmente.
- La información que busco viene a mí.
- Estoy abierto a nuevas ideas y opiniones.
- Estoy guiado y dirigido por un poder superior.
- El mundo es mi maestro.
- Mi sabiduría interior me guía.

Práctica de la meditación

Las prácticas de meditación son excelentes para equilibrar y alinear la energía en los siete chakras. Le ayuda a relajarse, le ayuda a deshacerse del estrés, promueve el autoconocimiento y regula sus emociones. Puede seguir los siguientes pasos para una sencilla meditación del chakra de la corona:

- Con la espalda recta, siéntese cómodamente en una silla, asegurándose de mantener los pies en el suelo.
- Coloque las manos sobre las rodillas con las palmas hacia arriba.
- Cierre los ojos, y relájese completamente.
- Una vez que se sienta cómodo, inhale por la nariz y luego exhale por la boca. Continúe respirando lenta y uniformemente.

• Puede cantar el mantra de la semilla, AUM. (Esto le ayuda a lograr una meditación profunda mientras sana el chakra de la corona al mismo tiempo).

• Ahora, imagine los pétalos de un loto blanco desplegándose gradualmente. Visualice una luz blanca que emana del loto completamente abierto.

• A continuación, visualice esta luz blanca rodeando la corona de su cabeza. Lentamente, se extiende a todo su cuerpo.

• Mantenga este pensamiento durante todo el tiempo que pueda. Empiece con 5 minutos de esta meditación. Puede aumentar la duración a medida que se sienta cómodo con ella.

• Otra forma de meditación que es útil para despertar el chakra de la corona es la meditación de visualización. Puede seguir estos pasos para guiarse en la meditación de visualización:

• Siéntese cómodamente y cierre los ojos.

• Junte las manos en el anjali mudra (manos cruzadas en oración frente al pecho).

• Concéntrese en su suelo pélvico y deje que se apoye suavemente en el suelo hasta que se sienta enraizado y estable.

• A continuación, suba por la columna vertebral y pase unos instantes en la ubicación de cada chakra a medida que asciende hacia el chakra de la corona.

• Visualice su columna vertebral como un tallo y lleve su conciencia a él mientras se mueve hacia arriba.

• Cuando llegue a la parte superior del tallo, imagine una luz blanca que emana de un gran loto blanco de mil pétalos.

• A continuación, tome un pétalo a la vez y ábralo. Mientras lo hace, imagine que su ser interior se fusiona lentamente con la luz universal.

• Realice este ejercicio de visualización lentamente y deléitese con la alegría de fusionarse con el universo.

• Puede dedicar todo el tiempo que quiera a este ejercicio de meditación.

Asanas de yoga para el chakra de la corona

Las asanas en las que se toca la frente con el suelo y las asanas sentadas son excelentes para limpiar el chakra de la corona bloqueado y despertarlo. Veamos algunas de estas asanas:

Sirsasana o parada de cabeza

Los beneficios de la parada de cabeza para el chakra de la corona son muchos. Los beneficios de esta postura ya se han discutido en general en el capítulo anterior sobre el chakra ajna. Estimula la energía en el sahasrara al mismo tiempo que compromete y fortalece los músculos centrales del cuerpo. Practicar la postura de la cabeza con regularidad aporta equilibrio y claridad mental. Siga estos pasos para realizar la parada de cabeza

• Comience arrodillándose en cuatro patas sobre una esterilla de yoga.

• Baje sobre los antebrazos. Junte las manos y entrelace los dedos. Este es un paso importante porque las manos soportarán todo el peso de su cuerpo mientras esté en esta postura.

• A continuación, apoye la cabeza en la colchoneta entre los antebrazos. Utilice las manos entrelazadas para apoyar la cabeza.

• Lentamente, acerque los dedos de los pies a la cabeza y levante gradualmente las rodillas del suelo.

- Levante el pecho y doble las rodillas.

- Cuando esté listo, enderece las rodillas y haga equilibrio sobre la cabeza.

- Está en la última postura de la cabeza. Permanezca en esta postura todo el tiempo que pueda, asegurándose de respirar suavemente y sin esfuerzo.

- Si es nuevo, puede hacer esta postura usando una pared como soporte.

- Cuando esté listo, baje lentamente las piernas y vuelva a la posición original de rodillas.

Sasangasana o la postura del conejo - Esta asana es excelente para conectar profundamente con el chakra de la corona. También relaja la columna vertebral, los hombros y la cabeza. Siga estos pasos para hacer la postura del conejo:

- Arrodíllese e inclínese hacia delante lentamente hasta que su frente toque el suelo. Asegúrese de que su cabeza está apoyada ligeramente en el suelo sin ninguna presión en la frente.

- Extienda su mano desde la espalda y ahueque sus talones.

- Permanezca en esta posición respirando profundamente durante el tiempo que se sienta cómodo.

- Cuando haya terminado, baje las caderas entre las rodillas, libere las manos de los talones y levántese lentamente hasta quedar sentado.

Shavasana o postura del cadáver

La asana más sencilla (y la más eficaz) para desarrollar el desapego le enseña a soltar todo en su vida, incluidos los deseos, el apego, los juicios, los esfuerzos y las expectativas. Para potenciar el poder del chakra de la coronilla, visualice una luz blanca que entra en su cuerpo mientras practica shavasana.

Al inspirar, imagine que la luz blanca entra por la corona de la cabeza y desciende por la columna vertebral. Al espirar, imagine que la luz asciende a lo largo de la columna vertebral hasta la corona de la cabeza.

Otro elemento vital que ayuda a potenciar y equilibrar el chakra de la corona es la dieta. Los alimentos sanos y naturales favorecen el bienestar general. Los productos frescos y ecológicos, como la fruta y la verdura, las sopas y caldos sustanciosos, los cereales integrales y las legumbres, etc. Alinean los centros energéticos. Para el chakra de la corona, los siguientes alimentos son excelentes:

- Todos los alimentos de color violeta, como la berenjena, las uvas rojas, etc.

- El jengibre tiene propiedades limpiadoras y favorece la claridad espiritual.

- Las infusiones limpian el sistema digestivo, reduciendo así los bloqueos energéticos en los chakras.

- Las siguientes ideas también pueden ayudar a sanar el chakra de la corona:

- Tome nota cada vez que sienta una conexión espiritual.

- Hágase voluntario para ayudar a las personas necesitadas. Este enfoque le permite sentirse agradecido por lo que tiene.

- Use ropa de color púrpura y blanco.

Más consejos para activar el chakra de la corona

Practicar el silencio - Los otros seis chakras se asocian con el sonido de sus respectivos mantras semilla. Aunque se considera que AUM es el mantra semilla del chakra del tercer ojo y de la corona, muchos practicantes creen que el sonido del sahasrara es el silencio.

El silencio no es fácil de practicar porque puede ser bastante abrumador e intimidante, teniendo en cuenta que estará a solas con sus pensamientos, muchos de los cuales pueden no ser muy agradables cuando se enfrenta a ellos. Empiece por pasar unos minutos (no más de 5 minutos cada día) en completo silencio, sin hacer nada más que mirar literalmente al espacio. Lleve un diario de sus experiencias en el periodo de silencio.

Además, anote las respuestas a las siguientes preguntas, que le ayudarán a calibrar sus pensamientos sobre el silencio:

- ¿Qué le parece no hacer nada y permanecer en silencio?

- ¿Evita los periodos de silencio o los busca?

- Si evita el silencio, ¿qué hace para distraerse?

- ¿Qué aspectos del silencio le resultan incómodos?

- ¿Cuándo fue la última vez que caminó, condujo o hizo algo solo en silencio?

Comience con algo pequeño. Desarrolle su capacidad para el silencio y aproveche el poder de un chakra de la corona activo y desbloqueado.

Amplíe su mente leyendo y/o escuchando podcasts. El autoestudio (o "svadhyaya" en sánscrito) es una forma excelente de ampliar su horizonte de conocimientos. Lea todos los libros que pueda. Si prefiere escuchar antes que leer, escuche podcasts. Los libros y los podcasts tienen el poder de transportar su mente o, al menos, su pensamiento, a cualquier parte del mundo, o incluso del universo. Las lecciones potenciales de esta actividad son ilimitadas, lo que, a su vez, ayuda a activar su chakra de la corona.

Practicar la gratitud - Practicar la gratitud nos muestra que somos mucho más que las vidas aparentemente monótonas y rutinarias que llevamos. Nos recuerda que somos especiales y dotados. También refuerza la creencia de que el universo es mucho más que el mundo materialista que experimentamos con nuestros cinco sentidos. Lleve un diario de gratitud y haga una lista de tres cosas por las que está agradecido cada día. Puede realizar esta actividad por la mañana, nada más levantarse, o antes de acostarse por la noche.

Cada chakra tiene un aspecto espiritual que nos ayuda a entendernos mejor. El sahasrara nos hace comprender que estamos completos en nosotros mismos porque somos parte de lo divino. Con este conocimiento llega la paz y el equilibrio que, a su vez, nos hace fuertes para superar todos los obstáculos y retos de nuestra vida. Nos resulta fácil soltar las cargas y el equipaje del pasado para recorrer el camino del despertar espiritual. Los signos de un chakra de la corona equilibrado son:

- Aceptación y amor por lo divino

- Reflexión, apertura mental y conciencia

- Capacidad de reconocer y recibir la guía del universo

- Sentido de unidad con el universo

- Capacidad de ir más allá de las leyes físicas

- Comodidad tanto en el ámbito físico como en el psíquico

Con un chakra de la corona despierto, su ser interior se libera de las dolorosas ataduras de su ego, dando paso a la positividad en su vida. Estará gobernado por emociones positivas como la autoaceptación, la gratitud y la compasión. Sus comportamientos y actitudes exteriores reflejarán su auténtico yo.

Todas las formas de negatividad serán eliminadas de su vida, lo que le da una perspectiva clara de todos los fenómenos externos e internos y le da paz mental, independientemente de las circunstancias externas.

Sanando sus chakras

Capítulo 11: Conciencia y apertura de los chakras

A partir de este capítulo, aprenderá consejos y técnicas detalladas para tomar conciencia y abrir cada chakra. El proceso para aprovechar el poder de todos los chakras de forma óptima incluye los siguientes pasos:

- El autoconocimiento es el primer paso. Identificar, reconocer y aceptar el poder de los chakras y lo que pueden hacer por usted es el primer paso, y quizás el más importante.

- Meditar en ellos le ayudará a entenderse a sí mismo, así como a la energía contenida en cada chakra. La meditación le ayudará a obtener una mayor comprensión de cada punto energético, ayudándole a saber qué está fallando y cómo diagnosticar los problemas.

- Una vez conocido el problema, el paso final es encontrar una forma para equilibrar y armonizar cada chakra. Hay varias opciones de "tratamientos" disponibles, como las afirmaciones positivas, las asanas, la meditación de atención plena y otras, algunas de las cuales se analizaron brevemente en cada uno de los capítulos que tratan de los chakras.

Chakras y autoconciencia

Los seres humanos se han hecho la pregunta existencial "¿Quién soy yo?" desde tiempos inmemoriales. Esta pregunta nos ha desconcertado durante eones porque sabemos y reconocemos que este cosmos encierra muchos más aspectos y más profundos de lo que parece. La práctica de la autoconciencia es una gran manera de obtener algunas de las respuestas a la pregunta anterior.

Conocerse a sí mismo, (lo que le impulsa, lo que le desanima, sus necesidades reales) puede elevar su nivel de autoconciencia. Así que profundicemos un poco más y veamos en qué consiste el autoconocimiento.

El autoconocimiento es la capacidad de mirar la verdad desnuda y vernos tal y como somos. Es como profundizar en nuestros comportamientos y actitudes, comprender y analizar lo que encontramos, observar cómo respondemos y/o reaccionamos al mundo que nos rodea, y descubrir paso a paso cada capa de nuestra personalidad.

Cuando es consciente de sí mismo, significa que identifica, comprende y se apropia de sus sentimientos, procesos de pensamiento, intenciones, motivos y consecuencias. Ser consciente de uno mismo significa ser consciente de sus puntos fuertes y débiles y aceptarlos sin vanidad/orgullo ni culpa/vergüenza, respectivamente.

Además de todo lo anterior, hay algo más profundo en ser consciente de uno mismo. Aprender a ser consciente de uno mismo es bucear en lo más profundo de su psique, e incluso de su alma, para ver lo que hay detrás de la personalidad que se refleja en un espejo ordinario. Muchas prácticas espirituales pretenden encontrar ese "ser" que se esconde detrás de nuestro cuerpo y nuestra mente, a menudo denominado "nuestro verdadero o interior".

Por ejemplo, cuando nos preguntamos "¿Quién soy yo?", ¿quién es el que lo pregunta? Si se trata de la persona que se llama así y que vive en una dirección determinada, ¿por qué se hace la pregunta? La respuesta física es evidente. Sin embargo, todos "sentimos" y "experimentamos" que algo o alguien detrás del cuerpo físico es más poderoso y es el conductor de todos los pensamientos que tenemos. La personalidad. La autoconciencia física, mental y emocional es el comienzo de la conciencia espiritual.

La mayoría de nosotros pensamos que nos conocemos bien a nosotros mismos. Sin embargo, nuestra medida de autoconciencia dista mucho de ser exacta. Sin duda, nuestra mente subconsciente es extremadamente poderosa y puede construir, mantener y reparar nuestros complejos sistemas corporales y mentales, formados por trillones de células y un número infinito de pensamientos y sentimientos intangibles. Desgraciadamente, la mayoría de la gente vive su vida en modo de piloto automático permitiendo que su mente subconsciente controle su comportamiento y actitud.

Sin embargo, esta compleja y poderosa fuerza motriz de nuestras vidas necesita la guía y la dirección adecuadas para lograr nuestros deseos y anhelos. Necesitamos saber cómo funciona esta mente subconsciente. Y para ello, tenemos que volvernos hacia dentro y ver y comprender lo que ocurre en nuestro interior.

Dos de los métodos más poderosos para aumentar el autoconocimiento son la introspección y el trabajo de sanación. El trabajo de sanación se ocupa de despertar y equilibrar nuestros chakras.

¿Qué es la introspección? La introspección consiste en mirar hacia dentro, identificar nuestras funciones, intenciones y motivos, y las necesidades y deseos esenciales. También incluye nuestros comportamientos, actitudes, pensamientos y cómo reaccionamos/respondemos a los estímulos que nos lanza continuamente el mundo exterior.

La introspección también puede alcanzar niveles más profundos en los que podemos ponernos en contacto con nuestras necesidades y deseos más profundos, e incluso con nuestra alma. Una buena manera de iniciarse en este fascinante camino es hacerse preguntas significativas a uno mismo. Por ejemplo:

- ¿Cuáles son mis valores y principios vitales?
- ¿Qué ilumina mi alma?
- ¿Cómo es mi "mejor versión"?
- ¿Qué persona saca lo mejor de mí?
- Si hay algún lugar en esta tierra al que pueda ir ahora mismo, ¿cuál elegiría?
- ¿Por qué me quiero a mí mismo?
- Si no tuviera que trabajar por dinero, ¿qué haría?

Estas preguntas le ayudan a profundizar en su psique y a encontrar respuestas. Cuanto más profundice, más consciente será de usted mismo.

Entonces, ¿por qué debería desarrollar la autoconciencia? ¿Cuáles son sus beneficios? En primer lugar, la autoconciencia es el primer paso para convertirse en lo que uno quiere ser. Por ejemplo, si un comportamiento o hábito concreto le impide alcanzar sus sueños, el primer paso para solucionarlo es tomar conciencia de ello. Tiene que centrarse en el comportamiento limitante y en sus sentimientos y causas subyacentes para encontrar una solución para superarlo.

Cuanto mayor sea nuestro autoconocimiento, más sabremos de nuestros puntos fuertes y débiles. Comprendemos nuestros patrones y los elementos y hábitos que desencadenan estos patrones. Si estos patrones funcionan en nuestra contra, podemos hacer algo al respecto. Ser conscientes de los patrones funcionales nos ayudará a aprovechar mejor su ventaja, y ser conscientes de los patrones improductivos nos ayudará a minimizar su exposición.

Este tipo de autoconciencia puede mejorarse trabajando con los chakras. Nuestros chakras tienen un profundo impacto en nuestras emociones y patrones de pensamiento y en el funcionamiento de nuestro cuerpo, tanto física como fisiológicamente. Si un chakra está desequilibrado o su energía no fluye libremente, es probable que los órganos y las emociones relacionados con ese chakra también estén desequilibrados.

Por lo tanto, debe entrenarse para identificar qué chakra está desequilibrado. Con este conocimiento, puede corregir las múltiples facetas que van mal en su vida. Tanto la introspección como las técnicas de meditación son excelentes herramientas para identificar el o los chakras errantes. Este enfoque le llevará a obtener muchos beneficios, entre ellos:

- Mejora del bienestar físico
- Chakras más sanos
- Mejora de los poderes intuitivos
- Sentido de poder personal
- Grandes posibilidades de realizar sus sueños y deseos
- Mejora de la inteligencia emocional
- Prevención de comportamientos y actitudes no deseados
- Conectar con lo divino

Además de las señales obvias y tangibles que recibe de la gente y del mundo que le rodea, las señales sutiles de su interior y del mundo que le rodea le dan una visión profunda de su personalidad y de sus actitudes de comportamiento. Estas señales no tan fácilmente discernibles también desempeñan un papel vital en la construcción de la autoconciencia. A su vez, los chakras y la energía que contienen son portales en los que se encuentran estas señales sutiles. Cuanto más conecta con la energía de sus chakras, más consciente será de sí mismo.

Además, los chakras y nuestro bienestar emocional, físico y mental están profundamente interconectados y se afectan mutuamente. Cuando los chakras están alineados y equilibrados, la positividad se refleja en su bienestar. Por el contrario, si no se siente muy bien física, emocional o mentalmente, la energía de sus chakras también se ve afectada.

Por ejemplo, ya sabe que nuestro chakra raíz está conectado con nuestros sentimientos de seguridad, protección y estabilidad, especialmente cuando se trata de satisfacer nuestras necesidades básicas de supervivencia. Por lo tanto, si se siente inseguro o inestable, entonces la energía de su chakra raíz se verá afectada negativamente. Si equilibra y armoniza la energía del chakra raíz, su sensación de inseguridad se reducirá lenta pero seguramente. Se sentirá sólido y estable. Por lo tanto, sanar y trabajar con sus chakras tiene un impacto directo en la calidad de su vida.

Y para ello, el primer paso es tomar conciencia de sus chakras y de los puntos fuertes y débiles que conllevan para usted. A medida que se hace más consciente de sus vórtices energéticos, la claridad de su mente mejora significativamente. Trabajar con sus chakras y comprender su dinámica energética le ayuda a determinar sus puntos fuertes y débiles externos e internos.

Identifica patrones de pensamiento positivos y negativos mientras medita en sus chakras. Cuando esté prevenido sobre las respuestas y reacciones emocionales de las que es capaz, podrá prepararse para minimizar los impactos negativos y optimizar los efectos positivos, una situación en la que podrá obtener lo mejor de ambos mundos. Comprender y tomar conciencia de la dinámica de su sistema energético de chakras es una poderosa herramienta de calibración para manejar y gestionar sus emociones y procesos de pensamiento de forma óptima.

Con el acercamiento, usted adquiere una inmensa claridad y comprensión de sí mismo, lo que abre el portal para el crecimiento espiritual e ilumina el camino. A medida que mejore su claridad mental, encontrará el dinero para convertirse en un canal para recibir la energía cósmica libremente en su cuerpo y mente. En tal situación, todos sus chakras se activan, dándole la fuerza para profundizar en su mente y su alma. También se puede acceder a su poder psíquico.

Mientras que su bienestar físico, emocional y mental recibirá un impulso considerable gracias a un mayor conocimiento de sí mismo, su espiritualidad también necesita un empujón hacia el crecimiento y el desarrollo. El crecimiento espiritual es esencial para encontrar respuestas satisfactorias a preguntas como "¿Quién soy?".

La autoconciencia es el primer paso para convertirse en la mejor versión de su verdadero yo. Cuando su autoconciencia esté en los niveles básicos, aprenderá y comprenderá cómo funcionan las cosas. Cuando alcance el reino de la espiritualidad, aprenderá, comprenderá y se dará cuenta de lo que es verdad. Entenderá lo que hay detrás del mundo tangible y materialista en el que vive. Reconocerá su posición y propósito en este cosmos y su parte en el orden universal. La curación de los chakras nos muestra dónde existen bloqueos y cómo podemos superarlos. A través de la práctica continua de la autoconciencia y la sanación de los chakras, puede conectar con su verdadero ser.

Técnicas de autoconocimiento

Algunas de las técnicas de autoconciencia, como la introspección, la curación de los chakras y la búsqueda de respuestas a las preguntas del alma, ya se han tratado en las secciones anteriores de este capítulo. A continuación, le ofrecemos algunas técnicas más.

Práctica de la atención plena

El paraguas de la meditación de los chakras está repleto de todo tipo de prácticas. Algunas de estas prácticas están diseñadas para la curación y/o la relajación, mientras que otras ayudan al practicante a lograr el despertar espiritual. Aquí hablaremos de la meditación de atención plena, explicaremos cómo ayuda a tomar conciencia y a abrir los chakras.

Al igual que la mayoría de las otras formas de meditación, la meditación de atención plena no necesita que siga ningún sistema de creencias en particular, excepto el conocimiento de los beneficios potenciales que puede aprovechar si la práctica con diligencia. La atención plena está arraigada en el "aquí y ahora". Se trata de comprometerse con cada momento de forma plena y completa con su cuerpo, mente y espíritu.

Experimentar el momento presente de esta manera le ayuda a permanecer en tierra, lo que, a su vez, mejora el poder de su enfoque y concentración. Las personas que practican regularmente la meditación de atención plena se muestran más atentas y receptivas a todo lo que les rodea que las que no la practican.

La práctica de la atención plena no es más que el simple arte de notar las cosas sin juzgarlas. Sin embargo, esta actividad es más fácil de decir que de hacer, sobre todo cuando está en plena efervescencia de sus emociones. Por ejemplo, si alguien le insulta, el dolor que siente es tan fuerte que toma el control de su cuerpo y su mente. No puede ver nada más que su dolor.

La práctica de la atención plena consiste en observar estos sentimientos de forma objetiva y notar los efectos de esos sentimientos en su cuerpo y su mente. La atención plena requiere que no haga nada más que "notar" esos sentimientos y su impacto sin juzgarlos. Normalmente, estamos tan atrapados por las emociones y las posibles reacciones que no damos tiempo suficiente para que los sentimientos se identifiquen, se comprendan y se liberen de nuestro sistema.

El enfoque consciente (mentalidad) da a su cuerpo y a su mente el tiempo necesario para asimilar plenamente los efectos de la experiencia en lugar de embutirlos en nuestro interior o evitarlos o utilizar reacciones desagradables a corto plazo. Una vez que los sentimientos se incorporan a su sistema, se liberan, y los efectos negativos también cesan. Las emociones se diseminan automáticamente y encuentra la claridad necesaria para ver las cosas como realmente son. Consigue ver la perspectiva de la otra persona con tanta claridad como la suya propia. Estas múltiples perspectivas ampliarán significativamente su horizonte de conocimientos, elevando su nivel de inteligencia.

Trabajo de sanación de los chakras

Estar íntimamente conectado y entender cómo sus chakras y su energía impactan en su vida es un elemento vital en el camino del autoconocimiento. Equilibrar todos sus chakras también le ayudará a equilibrar su estado emocional, lo que, a su vez, le otorga una perspectiva sin prejuicios.

A medida que practique la curación de los chakras, empezará a notar cómo y cuáles de los chakras están desalineados, desequilibrados, hiperactivos o subactivos. Entenderá cómo los chakras afectan a sus comportamientos y estados de ánimo. Este conocimiento puede ser utilizado para hacer cambios positivos en su personalidad y rasgos de comportamiento.

Vuelva a leer la información sobre cada uno de los siete chakras y hágase varias preguntas relacionadas con sus emociones. Cuanto más se familiarice con cada chakra, más fácil le resultará conectar los correctos con sus problemas emocionales, físicos y mentales. Cuanto más aprenda a conectar correctamente estos problemas con los chakras en cuestión, más cerca estará de comprender qué chakra no está funcionando bien. Aquí hay algunas consideraciones para que pueda empezar:

- Si siente que su plexo solar se siente pesado y desagradable, entonces podría manifestarse en forma de ansiedad.

• Si se siente pesado en la zona del pecho, podría tratarse de bloqueos en el chakra del corazón.

• Podría haber una desalineación en su chakra del tercer ojo si se siente somnoliento a pesar de haber dormido lo normal.

Meditación de los chakras

Las técnicas de meditación que se deben utilizar para la meditación de los chakras dependen de cada persona. Por ejemplo, si usted es una persona visual, la opción más eficaz es meditar en cada chakra utilizando su color asociado como indicación visual. Si usted es una persona física, puede meditar en cada chakra colocando su mano en el lugar y concentrándose en el espacio del chakra. Utilice los siguientes pasos para la meditación de los chakras:

Siéntese cómodamente en el suelo. (También puede tumbarse en el suelo sobre una esterilla). El reto de la segunda opción es no quedarse dormido durante la meditación, lo que puede resultar bastante desalentador, especialmente para los principiantes.

Cierre los ojos, lo que garantizará que su atención se dirija hacia el interior. Cerrar los ojos también evita que se distraiga con lo que le rodea, aunque sea su habitación. Respire profundamente un par de veces y entre en un estado de relajación.

Ahora, lleve su atención al primer chakra, el muladhara, que refleja nuestra conexión con la tierra. Puede centrarse en él utilizando el color asociado a él, su símbolo o el mantra de la semilla ya explicado en los capítulos anteriores.

A continuación, concéntrese en el propio chakra. Visualice una rueda que gira y observe la dirección de su giro. Respire en la luz que emana de la rueda. Observe su forma y el espacio que ocupa. Visualice que de esta rueda salen fuertes raíces que se fijan a la tierra. Siéntese en esta posición todo el tiempo que quiera, respire suavemente y concéntrese en el muladhara y su energía.

Cuando esté listo para avanzar, puede ir al segundo chakra, el svadhisthana. Utilice su color, símbolo o la variedad de loto asociada a este chakra y medite como lo hizo con el muladhara. Suba a todos los demás chakras a medida que avanza hacia el chakra de la corona.

A medida que pase por los chakras, recuerde inhalar positividad y exhalar negatividad en cada vórtice. Cuando llegue al sahasrara, visualícese saliendo de su cuerpo y viendo todo su cuerpo envuelto en las distintas luces de los siete chakras.

Escanee todo su cuerpo, asegurándose de que cada chakra está totalmente abierto y libre de todo bloqueo. Deje que su respiración se mueva desde el chakra de la coronilla hasta el chakra de la base y luego vuelva a subir. Este paso produce una sensación maravillosa al darse cuenta de que el camino que conecta los siete chakras está despejado y libre de todos los bloqueos.

Recuerde confiar en tu intuición. Sabrá qué chakra necesita atención y dónde debe dedicar más tiempo que en otros. Además, recuerde que algunos vórtices se limpiarán fácilmente mientras que otros pueden requerir más esfuerzo y tiempo. Esto significa que tendrá que repetir algunos trabajos de sanación.

Para saber todo esto, debe anotar sus sentimientos, experiencias y cambios con cada sesión de meditación. Los bloqueos difíciles pueden llevar semanas, meses o, a veces, incluso años. Sin embargo, llevar un diario y corregir los errores son elementos vitales para medir sus resultados y mejorar cada sesión de meditación.

Otra forma de hacer la meditación de los chakras es centrarse en sus necesidades y luego trabajar con el chakra conectado a esa función. Por ejemplo, si necesita ampliar la función de su voz o mejorar su capacidad de articulación, debe centrarse en el chakra de la garganta. Al igual que en los pasos de meditación anteriores, empiece por centrarse en los chakras y sus símbolos, sonidos, imágenes, etc. Excepto que, en este caso, saltará directamente al chakra de la garganta en lugar de empezar por el muladhara y avanzar hacia arriba.

Del mismo modo, si tiene un problema con el arraigo y la estabilidad, puede visualizar la rueda giratoria y su luz en el muladhara, y cuando la termine, no necesitará moverse hacia arriba. Puede detenerse en el chakra raíz porque está enfocado en su necesidad solamente.

Meditación de la respiración de los chakras

La meditación de la respiración de los chakras es una poderosa técnica que ayuda a tomar conciencia de los chakras y de su energía. Los chakras son puntos de convergencia en los que se encuentran la energía, las emociones y el cuerpo físico de los chakras. Trabajar con estos puntos de convergencia y respirar en ellos nos ayuda a abrir los bloqueos.

La respiración de los chakras combina técnicas de respiración profunda y movimiento corporal. Los sonidos musicales forman parte de esta técnica que ayuda a abrir y centrar el cuerpo y la mente. La respiración de los chakras le permite conectarse con su cuerpo y su mente de forma profunda e intensa y recargar también los vórtices de energía. Siga estos pasos para la respiración de los chakras:

- Siéntese cómodamente. Vacíe sus pulmones exhalando fuertemente.

- Inspire por la nariz y espire por la boca. Lleve la conciencia a su chakra raíz y recite su mantra semilla LAM. El sonido del mantra semilla hace vibrar la energía del chakra. Deje que el sonido fluya libremente por su cuerpo. Repita este proceso durante algún tiempo.

- A continuación, lleve su conciencia al segundo chakra, Svadhisthana, y repita su mantra semilla VAM de la misma manera. Sienta la vibración del sonido y deje que fluya a través del punto de energía por todo su cuerpo.

• Del mismo modo, recite los mantras semilla de los cinco chakras restantes mientras se concentra en ellos, mientras inspira por la nariz y espira por la boca. Como referencia, los mantras semilla de los cinco chakras son:

- • Plexo solar (RAM)
- • Chakra del corazón (YAM)
- • Chakra de la garganta (HAM)
- • Chakra del tercer ojo (OM o AUM)

El chakra de la corona se medita a menudo no cantando, sino escuchando. Tampoco se relaciona con ningún elemento, porque representa todo lo invisible para nosotros entre lo visible y más allá de lo visible y tangible.

El canto de mantras de semillas y la respiración profunda nos benefician del mismo modo que la música. Además, la técnica de respiración de los chakras nos ayuda a centrarnos en las cualidades altruistas que van más allá de la vida mundana y crea experiencias y sentimientos positivos. Utilice su tono natural para cantar el mantra. Evite forzar la voz en tonos más altos o más bajos que su tono natural.

La parte más importante de la técnica de respiración de los chakras es practicar la atención plena. Deje que el sonido de cada mantra se extienda durante toda la duración de la inhalación. Deje que su exhalación sea de igual duración y sienta la resonancia de la sílaba mientras canta. Otra forma de cantar es hacerlo rápidamente varias veces durante cada respiración.

Sea consciente de las vibraciones y sensaciones que experimente durante la sesión. Sea un oyente activo y haga un esfuerzo por escuchar cada vibración y sonido sutil mientras canta sus mantras.

Afirmaciones para los chakras

La repetición de afirmaciones tiene un efecto curativo directo en los chakras. En los capítulos dedicados a los chakras se enumeran algunas afirmaciones. Aquí profundizaremos un poco más y le daremos unas cuantas afirmaciones más para cada chakra.

Las afirmaciones poderosas pueden reescribir los patrones en nuestra mente subconsciente, lo que envía calor curativo al chakra específico. Algunos escépticos podrían tener problemas para aceptar este concepto. Sin embargo, incluso los científicos han descubierto que estos métodos de curación son eficaces y útiles gracias a la investigación moderna.

Por ejemplo, el candidato al doctorado Christopher Cascio publicó un artículo en <u>The Journal of Social Cognitive and Affective Neuroscience</u>. Utilizó imágenes de resonancia magnética funcional (fMRI) para observar que las afirmaciones positivas activan los centros de recompensa en el cerebro. Estos centros de recompensa son los mismos que se activan cuando tenemos experiencias placenteras, como comer su plato favorito o ganar un premio. De hecho, muchos médicos modernos utilizan las afirmaciones positivas como terapia complementaria a su tratamiento médico.

¿Por qué son tan poderosas las afirmaciones positivas? Porque nuestra realidad es creada por nuestros pensamientos y hábitos que son controlados por la mente subconsciente. Las afirmaciones positivas tienen el poder de cambiar nuestros pensamientos y hábitos. Así que, para volverse positivo, las afirmaciones son geniales.

Afirmaciones para el chakra raíz:

- Tengo los pies en la tierra y estoy centrado.
- Tengo seguridad financiera.
- Estoy firmemente arraigado, fuerte y poderoso.
- Me siento estable y seguro.

- Me cuidan.

- El universo siempre cubrirá mis necesidades.

Afirmaciones del chakra sacro:

- La dulzura del universo fluye libremente por mi cuerpo y mi mente, e irradio alegría a todos.

- Fluyo felizmente con creatividad e inspiración.

- Es seguro expresar y hablar sobre mi sexualidad y mis necesidades sexuales.

- Me siento seguro y cómodo expresando mis deseos sexuales. Mi yo sexual es creativo, divertido y agradable.

- Es mi poder buscar el placer y la alegría.

- Mis emociones son equilibradas y fluyen libremente.

- Estoy en contacto con mis emociones.

- Abrazo la abundancia y el placer.

Afirmaciones sobre el chakra del plexo solar:

- Tomo decisiones con seguridad y convicción.

- Me mantengo firme en mi poder personal.

- Me siento motivado para seguir y alcanzar el propósito de mi vida.

- Me honro a mí mismo.

- Mi trabajo fluye con facilidad.

- Tengo el valor y la fuerza para realizar cambios positivos en mi vida.

- Tengo el poder de controlar mis respuestas a las situaciones externas.

Afirmaciones del chakra del corazón:

- Doy la bienvenida al amor con el corazón abierto.

- Mi corazón irradia una poderosa luz verde.

- Atraigo el amor y a las personas cariñosas allá donde voy.

- Me amo y me acepto por todo lo que soy.

- Mi corazón está completamente curado de todas las heridas del pasado.

- Me perdono a mí mismo y a los demás.

- Mi corazón está lleno de amor.

- Libero todo mi resentimiento.

Afirmaciones del chakra de la garganta:

- Me comunico con facilidad y confianza.

- Sé cuándo es mi momento de escuchar a los demás.

- Soy un oyente activo.

- Me gusta usar mi voz y hablar sin miedo.

- Me siento cómodo diciendo lo que pienso.

- Soy honesto sobre quién y qué soy.

- Me expreso con honestidad y claridad.

Afirmaciones del chakra del tercer ojo:

- Me siento conectado a mi alma.

- Me siento conectado con lo divino cósmico.

- Confío en mi intuición.

- Experimento la claridad cada día.

- Silencio mi mente con facilidad.

- Mis pensamientos son pacíficos.

- Confío en las decisiones que tomo.

- Dejo que mi sabiduría interior sea mi guía y mentor.

Afirmaciones del chakra de la corona:

- Soy ilimitado e infinito.

- Estoy en paz.

- Soy un ser divino.

- Soy una parte y una extensión del universo.

- Todo en este universo está conectado.

- Siento la inspiración y la creatividad divinas.

- Todo está bien.

- Voy fácilmente más allá de mis creencias limitantes y me abrazo totalmente a mí mismo.

Técnica de golpeteo

Hay técnicas de golpeteo que son extremadamente útiles para desbloquear la energía en tus chakras. También son muy fáciles de hacer. Cada chakra tiene un punto de golpeteo en el que, cuando se hace, la energía se limpia y se desbloquea en ese chakra en particular. Veamos esto para los siete chakras.

Chakra de la raíz - El punto de golpeteo del muladhara es la parte superior de los muslos o la parte inferior del sacro. Golpee la parte superior de sus muslos para activar y desbloquear el chakra raíz. Utilice las palmas de las manos para hacer tapping en este punto como si estuviera dando una señal a un niño pequeño o a una mascota para que venga a sentarse en su regazo.

Chakra sacro - El punto de tapping es el lugar situado justo debajo del ombligo. Golpee suavemente este punto cuando sienta que su svadhisthana está atascado.

Chakra del plexo solar - El punto de tapping se encuentra justo debajo del esternón, en el plexo solar. Unos suaves golpes en este punto pueden eliminar significativamente los bloqueos de su manipura.

Chakra del corazón - El punto de tapping se encuentra en el centro del corazón, en medio del pecho. Golpee suavemente esta zona para liberar la energía bloqueada de su anahata.

Chakra de la garganta - El punto de tapping se encuentra delante de la garganta, en la zona del cuello. Si se siente atascado en una conversación, golpear suavemente esta región durante unos minutos puede ayudarle a despejar su mente y a mantener una conversación sensata.

Chakra del tercer ojo - El punto de tapping está en el entrecejo. Hay que ser muy suave con este punto. Evite utilizar el mecanismo de golpeteo si no está seguro de la cantidad de presión que puede aplicar aquí. Como alternativa, puede acudir a terapeutas de chakras cualificados.

Chakra de la corona - El punto de tapping es la parte superior de su cabeza.

Puede utilizar cualquiera o todas las técnicas que se dan en este capítulo para aumentar su conciencia, abrir sus chakras y construir su conexión con ellos. Tome un método a la vez. Practíquelo bien. Luego puede pasar al siguiente. A medida que vaya practicando, encontrará el método con el que su cuerpo y su mente se sientan más cómodos. Puede mantener esta técnica como la principal durante un tiempo.

La técnica principal puede o no funcionar en todo momento. Si no funciona, utilice otra sugerencia para aprender y dominar. Pronto dominará todas las ideas dadas en este capítulo para aumentar la conciencia de su chakra. La paciencia y la persistencia juegan un papel importante en su viaje para dominarlas.

Capítulo 12: Limpieza y desbloqueo de los chakras

Una vez que conozca bien sus chakras y haya aprendido a identificar dónde y cuál está bloqueado, es el momento de empezar a limpiarlos. Empecemos de inmediato.

La importancia de la limpieza de los chakras

La idea de que somos algo más que nuestros cuerpos y mentes físicas se está imponiendo lenta pero seguramente en el mundo moderno. Cada vez más personas reconocen y aceptan el concepto de que todo en este universo está hecho de energía, gracias a las investigaciones de la física cuántica que demuestran este punto y al acceso de las personas a esta información.

Algunas formas de energía son fácilmente visibles, como nuestros cuerpos, elementos, estrellas, etc. Otras formas de energía son menos visibles, pero pueden ser experimentadas por la mayoría de nosotros. Entre ellas están las emociones y los sentimientos. Algunas formas son tan sutiles que solo unas pocas personas que dominan el arte de ir más allá del mundo tangible pueden experimentarlas.

El sistema de chakras es también una forma de energía sutil repartida en siete lugares diferentes de nuestro cuerpo. Cuando accedemos a la energía equilibrada y armonizada de estos vórtices energéticos, podemos comprendernos mejor a nosotros mismos y al mundo con el fin de vivir una vida más significativa y con más propósito que antes.

En el último capítulo, aprendió a tomar conciencia de sus chakras y a identificar las áreas que necesitan ser desbloqueadas y equilibradas, un proceso llamado limpieza de chakras. Entonces, la pregunta ahora es, ¿por qué es tan importante limpiar sus chakras? Los chakras desalineados, desequilibrados y bloqueados pueden causar estragos en su vida emocional, espiritual e incluso física.

Un canal de energía claro y desbloqueado es vital para experimentar altos niveles de energía, un saludable apetito por la vida y vitalidad. Un chakra bloqueado impide que la energía fluya libremente en el cuerpo, lo que, a su vez, repercute negativamente en su funcionamiento diario. Si no se atienden, estos bloqueos pueden conducir a problemas físicos que causan trastornos de salud, a menudo más allá de las etapas tratables.

Cómo limpiar sus chakras

Antes de desbloquear los chakras, hay que limpiarlos de energías dañinas mediante diversos procesos de limpieza. Veamos cada chakra y aprendamos a limpiarlos.

Limpieza del chakra raíz

Como ya sabe, el chakra raíz es su chakra base y está vinculado a sus instintos de supervivencia. También está estrechamente relacionado con su cuerpo físico. Comer los alimentos adecuados puede ayudar a limpiar el chakra raíz. He aquí algunos ejemplos:

- Las hortalizas de raíz como las remolachas, los tomates, las patatas, los rábanos, las zanahorias, las chirivías, las cebollas y el ajo nutren su muladhara.

- Los alimentos ricos en proteínas, como los huevos, la carne, la mantequilla de cacahuete (y otras mantequillas de frutos secos) y los productos de soja, incluido el tofu, aportan una excelente fuerza a su cuerpo.

- Los alimentos de color rojo como los tomates, las manzanas rojas, las fresas y las granadas ayudan a limpiar el chakra de la raíz.

- Las especias adecuadas para el chakra de la raíz son la cayena, el cebollino, el rábano picante, la pimienta y el pimentón.

Otras especias y hierbas eficaces para el chakra de la raíz son el diente de león y la ashwagandha. Estos alimentos y especias basados en la raíz le conectan con la tierra y le ayudan a sentirse enraizado y estable. El chakra de la raíz está asociado al elemento tierra. Por eso, caminar descalzo sobre la hierba, la tierra o el barro es una forma estupenda de limpiarlo. Cualquier tiempo que se pase en medio de la naturaleza proporciona una excelente curación para el chakra raíz. Meditar con obsidiana, turmalina negra, ágata roja, rubí y hematita ayuda a limpiar el muladhara.

Los aceites esenciales tienen el poder de equilibrar y armonizar los vórtices energéticos. Diferentes aceites esenciales funcionan bien para diferentes chakras. Los aceites esenciales para el chakra raíz incluyen:

Nardo rojo - Este ingrediente se ha utilizado durante siglos con fines religiosos y medicinales. Ayuda a conectar con la tierra sin entorpecerle. Le capacita para tomar el control de su vida. Le ayuda a estabilizarse cuando se sienta inseguro en su cuerpo.

Vetiver - Planta originaria de la India, el vetiver ayuda a enraizar y a centrar. Le da fuerza emocional y le permite cultivar el honor. También refuerza la conexión entre mente y cuerpo.

Limpieza del chakra sacro

El segundo chakra, el svadhisthana, está relacionado con su lado creativo, sexual y emocional. Los alimentos para limpiar el chakra sacro son:

- Frutas, verduras y carnes de color naranja, como mangos, melocotones, fruta de la pasión, albaricoques, naranjas, zanahorias, pimientos naranjas, boniatos, agua de coco y salmón. Estos nutren el chakra sacro y lo limpian de energías negativas.

- Los frutos secos como las almendras, las semillas de sésamo y las nueces también son excelentes para el segundo chakra.

- Las especias como la canela y la vainilla funcionan bien para el chakra sacro.

Puede restablecer el equilibrio de su chakra sacro comiendo damiana, una hierba con propiedades afrodisíacas. Ayuda a aumentar la libido y el apetito sexual. La damiana también calma el sistema nervioso, permitiéndole relajarse y liberarse del estrés y la ansiedad. Otra hierba afrodisíaca llamada *ylang* puede quemarse para abrir el flujo de amor y pasión en su vida. Otros aceites esenciales para el chakra sacro son la naranja dulce, la rosa, la mandarina, el pachulí, el helicriso.

Semilla de pimienta rosa - El aceite esencial elaborado a partir de esta hierba es conocido por evocar el erotismo, la sexualidad extática, el arrebato y hace que usted se enamore de sí mismo. También ayuda a curar los sentimientos de vergüenza, los problemas de vergüenza corporal y los sentimientos de vulnerabilidad.

Los cristales asociados al chakra sacro son la cornalina, la calcita naranja, la aventurina roja y la piedra de oro. El chakra sacro está asociado al agua. Por lo tanto, nadar o pasar tiempo junto a masas de agua como lagos, ríos, océanos, etc. Puede ayudarle.

Limpieza del chakra del plexo solar

Manipura o el chakra del plexo solar se ocupa de su poder personal y su autoestima. Está relacionado con la fuerza de voluntad y el ego. Los alimentos que son buenos para limpiar el chakra del plexo solar son:

- Los hidratos de carbono complejos como el arroz, la avena, la espelta y las judías nutren el tercer chakra.

- Las semillas de girasol y de lino también favorecen este vórtice energético.

- Los productos lácteos como el yogur, el queso y la leche mantienen la energía del chakra del plexo solar desbloqueada y despejada.

- Los alimentos de color amarillo como el maíz, los plátanos, la calabaza y los limones también son beneficiosos.

- Las hierbas y especias buenas para el Manipura son la manzanilla, la menta, el hinojo, el cardo mariano, la hierba de limón, el comino, el jengibre y la cúrcuma.

También puede quemar aceites esenciales como el almizcle, el azafrán, el jengibre, la mirra, la lavanda, la manzanilla y la canela para conectar con el elemento fuego asociado al plexo solar. El aceite de pimienta negra ayuda a transformar patrones de pensamiento y hábitos rígidos.

Los cristales con poder para sanar y limpiar el plexo solar son el citrino, el ámbar, el topacio, el ojo de tigre y el cuarzo rutilado. El elemento relacionado con el plexo solar es el fuego. Por lo tanto, sentarse junto a una hoguera y empaparse del calor que desprenden las llamas puede calmar y limpiar el tercer chakra.

Limpieza del chakra del corazón

El amor propio y la autoestima están profundamente relacionados con la salud del chakra del corazón. Cuando su chakra del corazón está abierto y despejado, se siente animado a compartir sus emociones con los demás y está dispuesto a escuchar sus historias emocionales. Siente un amor incondicional por usted mismo y por el mundo que le rodea. Los alimentos que son buenos para limpiar el chakra del corazón son:

- Las verduras de hoja verde como la col rizada, las acelgas y las espinacas son excelentes alimentos funcionales que limpian y despejan el chakra del corazón.

- También puede incluir en su dieta brócoli, apio, col, guisantes, calabacín, aguacate, pepino, kiwis y limas para la salud de su anahata.

- Las hierbas y especias que ayudan al chakra del corazón son el cilantro, la albahaca, el tomillo, el perejil y el té verde.

Las hierbas energéticas para el corazón que puede incluir en su dieta son la baya de espino, la rosa, el rooibos, la lavanda, el jazmín y la rosa. Puede hacer sus infusiones combinando estos ingredientes. Los aceites esenciales para el chakra del corazón son:

Aceite de rosas - La rosa es un clásico del amor. El aceite de rosa fomenta el amor propio y el amor por los demás. Le hace ser compasivo y amable. Promueve el deseo de iluminación espiritual.

Aceite de pino - Este aceite esencial cura y libera el dolor de las viejas heridas. Ayuda a perdonar y a seguir adelante. Ablanda su corazón después de episodios y experiencias dolorosas.

Los cristales que curan el chakra del corazón son la malaquita, el cuarzo rosa, la unakita y la rodocrosita. El chakra del corazón está asociado con el elemento aire. Los ejercicios de respiración profunda son excelentes para limpiar este vórtice energético. Además, puede mantener la ventanilla abierta cuando conduzca.

Puede volar una cometa y sentir la atracción del aire. También puede dar un paseo en barco y sentir el poder de la brisa marina que entra en su sistema para limpiar el chakra del corazón.

Limpieza del chakra de la garganta

La capacidad de comunicación y articulación está relacionada con el chakra de la garganta. Cuando este vórtice energético está desequilibrado, la expresión personal se ve comprometida. Un vishuddha desbloqueado y equilibrado le da el poder de asumir la responsabilidad de su vida y le anima a decir la verdad. Los alimentos que son buenos para limpiar el chakra de la garganta son:

- Los alimentos líquidos como los jugos naturales, el agua, el agua de coco y las infusiones son excelentes limpiadores para el vishuddha.

- Las frutas de color azul, como las ciruelas, las moras y los arándanos, son beneficiosas para el chakra de la garganta.

- A menudo, las frutas que crecen en los árboles, como las manzanas y las peras, también se recomiendan para aclarar y limpiar el quinto chakra.

Las infusiones que curan el chakra de la garganta pueden prepararse con corteza de olmo resbaladizo molida, que calma y suaviza la garganta. También se puede incluir salvia sclarea, salvia y manzanilla. Los alimentos ricos en yodo, como el dulse, el quelpo, la espirulina, el nori, etc. Son excelentes para limpiar el vishuddha. Aceites esenciales para el chakra de la garganta:

Aceite de manzanilla azul - Le conecta con los guías espirituales y abre el camino para recibir la guía de su ser más elevado. Le ayuda a estabilizar y fortalecer sus conexiones cósmicas y mejora su poder de comunicación.

Incienso - Este aceite esencial permite leer e interpretar correctamente la energía del entorno. Evita que reaccione de forma exagerada. En cambio, le da la fuerza para responder a todo tipo de situaciones con gracia. Promueve un discurso claro y convincente.

Los cristales con el poder de curar el chakra de la garganta son la apatita, la sodalita, la turquesa y la crisocola. El chakra de la garganta está relacionado con el elemento éter. El éter es similar al espíritu. Siéntese en un espacio amplio y abierto bajo el cielo para permitir que este chakra se limpie y sane.

Limpieza del chakra del tercer ojo

Este vórtice de energía es el lugar donde se encuentran la mente consciente y la subconsciente. Un chakra Ajna activo, equilibrado y desbloqueado le dota de sabiduría interior. Obtiene una visión profunda del propósito de su vida y del camino que le llevará a él. Los alimentos que son excelentes para el chakra ajna son:

• Los alimentos de color púrpura, como las moras, los arándanos, la col púrpura, las uvas púrpuras y las berenjenas, limpian el chakra ajna.

• El cacao crudo es un supernutridor del chakra del tercer ojo. El cacao crudo es rico en flavonoides que estimulan la producción de serotonina, la hormona que elimina el estrés y mejora el estado de ánimo.

• Las semillas de amapola son excelentes para el chakra del tercer ojo.

Quemar sándalo o salvia puede darle una sensación de calma y paz. Los aceites esenciales para el chakra del tercer ojo son:

Aceite de limón - Este es un excelente aceite esencial para el chakra del tercer ojo porque lo eleva. Conecta su intuición y su mente y mejora la versatilidad mental. Amplía su capacidad de pensamiento y ayuda a organizar la nueva información.

Aceite de sándalo - Aporta sabiduría, conciencia interior y le ayuda a comprometerse fácilmente con su conciencia superior. Rompe las ilusiones y le permite alinearse con su ser más auténtico. Mejora sus prácticas de meditación y curación.

Los cristales curativos para el chakra ajna incluyen la fluorita, la amatista, la lepidolita y la charoita. El chakra del tercer ojo está conectado con la luz. Así que siéntese bajo el Sol o junto a una ventana abierta para que los rayos del Sol entren en su cuerpo y limpien el chakra del tercer ojo.

Limpieza del chakra de la corona

El séptimo y último vórtice energético, situado en la parte superior de la cabeza, le permite conectar con el cosmos y la presencia divina que todo lo impregna. Le enseña que usted es parte de lo divino. Le ayuda a comunicarse con su conciencia superior. Curiosamente, el ayuno y las opciones de desintoxicación son mejores para limpiar el chakra de la corona que la elección de alimentos e ingredientes.

Muchas religiones orientales consideran que el ayuno tiene una connotación espiritual. Cuando se priva de las necesidades básicas de supervivencia, aunque sea por poco tiempo, y se ayuna, uno se siente conectado con lo divino. Esto se suma al proceso de desintoxicación del cuerpo cuando se da descanso al sistema digestivo mediante el ayuno.

El cuerpo obtiene tiempo y energía para eliminar todas las toxinas acumuladas y las emociones negativas, la energía y las creencias limitantes. Toda esta limpieza y lavado ayuda a limpiar el sahasrara.

Los aceites esenciales se utilizan con frecuencia para limpiar el chakra de la corona. Además, las hierbas para sahumar y la quema de incienso pueden ayudar a limpiar el séptimo chakra. Las hierbas y especias que son buenas para él son el incienso, la salvia, el enebro y la lavanda. Puede añadir lavanda a las limonadas, tés y otras bebidas. También puede relajarse en un baño con aroma a lavanda. Otros aceites esenciales que son buenos para el chakra de la corona son:

Flor china del arroz - Mejora su poder para contemplar los misterios del cosmos. Actúa como un portal entre los mundos físico, temporal y divino sin principio ni fin. Su capacidad para comprender temas espirituales y filosóficos recibe un impulso. Le ayuda a transformar sus ideas en acciones prácticas.

Flor de loto blanca - El loto es un poderoso símbolo de la divinidad. Mantiene la vibración para despejar su camino espiritual. Tiene el poder de reforzar lo que ha aprendido al despertar los chakras inferiores. Le inspira a convertirse en una persona autorrealizada, la mejor versión de sí mismo. Ayuda a expandir su conciencia.

Los cristales curativos del chakra de la corona incluyen la piedra de luna, el cuarzo claro, el diamante herkimer y la selenita. Aunque el chakra de la corona no está relacionado con ningún elemento, está conectado con todos los elementos. Por lo tanto, conecta con la totalidad del cosmos a través de la meditación, las oraciones y los cantos para limpiar el séptimo chakra.

Meditación con cristales para limpiar los chakras

La meditación en los chakras es una herramienta excelente para limpiarlos. El proceso de limpieza recibe un gran impulso cuando se combina la meditación con los cristales específicos de cada chakra. La meditación en los chakras con cristales puede realizarse al menos una vez a la semana para restablecer el equilibrio energético en todos sus chakras.

Antes de comenzar el proceso de meditación, recuerde encontrar un lugar tranquilo y sin interrupciones para ello. Además, lea y relea las pautas de meditación hasta que esté seguro de lo que debe hacer. Siga los siguientes pasos:

• Acuéstese cómodamente y coloque sus cristales curativos en las respectivas ubicaciones de los chakras. A continuación, se dan consejos para colocar los cristales.

• Cierre los ojos y respire profundamente un par de veces.

• Inhale profundamente y, al exhalar, deje escapar todo el estrés y la ansiedad acumulados y sienta que se relaja por completo. Sienta que su cuerpo se vuelve cada vez más pesado con cada exhalación.

• Concéntrese primero en su chakra raíz. Imagine una cálida y hermosa luz roja en el centro de su chakra base. Cante el mantra de la semilla LAM mientras medita y visualice la luz roja de su chakra raíz.

• Concéntrese en cómo la energía del cristal muladhara está interactuando con la energía del chakra.

• Imagine que las vibraciones del sonido del mantra, la luz roja y la energía del cristal curativo desbloquean y limpian todos los bloqueos de su chakra base. Limpie todas las emociones no deseadas y las negatividades que no sirven para nada. Dedique todo el tiempo que quiera a este aspecto de la meditación. Cuando se sienta satisfecho, pase al segundo chakra.

• Para el segundo chakra, imagine una luz cálida y naranja en el centro y repita el proceso de meditación, visualizando las interacciones entre las energías de la luz, el cristal curativo y el chakra.

Repita esta meditación para los siete chakras. Imagine que el color de la luz cambia a medida que asciende hacia el chakra de la corona. Asegúrese de detenerse en cada punto energético, tómese su tiempo para sentir el proceso de limpieza y continúe solo cuando esté completamente satisfecho.

Cuando haya terminado la meditación de los chakras dirigida a los siete chakras, rece una oración de agradecimiento, abra lentamente los ojos y devuelva su atención al mundo exterior. Cuando esté preparado, retire los cristales y siéntese. Después de cada sesión de meditación, asegúrese de limpiar sus cristales, ya que habrán absorbido toda la energía negativa de sus chakras durante el proceso de limpieza.

Coloque los cristales de la siguiente manera:

- **Chakra raíz** - Coloque el cristal entre los muslos.

- **Chakra sacro** - El cristal debe colocarse entre los huesos de la cadera, donde se encuentran los órganos reproductores.

- **Chakra del plexo solar** - Coloque la piedra preciosa entre el ombligo y las costillas inferiores.

- **Chakra del corazón** - Coloque el cristal en el centro del pecho a la altura del esternón. Asegúrese de que no colocarlo a la izquierda, donde está el corazón físico.

- **Chakra de la garganta** - El cristal debe colocarse en la garganta. Si encuentra que el cristal se sigue cayendo, entonces puede colocarlo al lado de su garganta.

- **Chakra del tercer ojo** - La piedra preciosa debe colocarse entre las cejas.

- **Chakra de la corona** - La piedra preciosa del chakra de la corona debe colocarse en el cuerpo, por encima de la cabeza.

Además de los cristales mencionados, puede sostener algunas piedras preciosas en las palmas de las manos. El cuarzo claro es una gran opción. Sus palmas son un portal abierto que tiene mucho tráfico de energía. Es importante no estresarse por encontrar el lugar "perfecto" para colocar sus cristales. Sus chakras son vastas ruedas de energía, y su intención de sanar es mucho más importante que los cristales físicos. Su intención interior activará la energía en su chakra, así como en el cristal, e impulsará sus deseos y necesidades.

Limpiar los cristales después de terminar la sesión es esencial. Puede simplemente sostenerlos bajo el grifo o pasarlos a través de incienso encendido o humo de salvia.

La limpieza de los chakras es un aspecto vital del mantenimiento de los mismos, ya que desempeña un papel crucial en su bienestar general. Cuando limpia sus chakras regularmente, sus aspectos físicos y mentales se mantienen saludables. Su sistema energético, formado por los chakras y los nadis, es una parte integral de su existencia. Un sistema energético desequilibrado puede causar estragos en su vida. Necesita ser alimentado y nutrido como lo haría con su cuerpo físico y mental.

Además de utilizar cristales curativos y aprovechar el poder de su energía para limpiar su sistema de chakras, debe seguir un estilo de vida saludable. Asegúrese de comer alimentos sanos y ricos en nutrientes, como se indica en este capítulo para cada chakra, duerma bien cada noche, haga mucho ejercicio y mantenga su cuerpo en forma y saludable. Todos estos elementos desempeñan un papel fundamental en la limpieza del sistema energético de los chakras.

Capítulo 13: Equilibrar los chakras con el yoga

Desde el punto de vista clásico, el despertar y el dominio de los chakras no forman parte directamente de la corriente principal del yoga. Los chakras, los nadis y el kundalini yoga son componentes periféricos del yoga clásico. Por lo tanto, los ejercicios de yoga y las posturas de yoga llamadas colectivamente yogasana se emplean para despertar y dominar los chakras.

Algunas de las posturas de yoga fueron discutidas brevemente en los capítulos de los chakras individuales. Aquí, usted obtendrá instrucciones detalladas para las posturas de yoga para los siete chakras. Comencemos este capítulo con los beneficios del yoga.

Beneficios del yoga

El yoga en los chakras es una excelente herramienta para tomar conciencia del sistema energético sutil de su cuerpo y ayuda a abrir y equilibrar la energía de los chakras. El yoga es un sistema establecido y bien aceptado que utiliza movimientos corporales y técnicas de respiración para transformar su vida para mejor.

El yoga de los chakras es el arte de centrarse en un chakra específico para llevar su poderosa energía a su conciencia. Como ya sabe, los chakras pueden bloquearse. El chakra yoga ayuda a desbloquear y despejar el camino de la energía en los vórtices. Equilibrar y despejar el camino de la energía de los chakras hace que vuelva a estar completo porque el prana fluye por todos los rincones de su cuerpo.

La energía de cada chakra depende del "giro" de la rueda que, a su vez, se denomina vibración del chakra. La frecuencia de giro crea diferentes niveles de energía en ese punto que se extiende por su cuerpo y su mente.

Cuando hace el yoga en los chakras de forma terapéutica, esencialmente habilita la energía de su chakra y elimina los bloqueos creados allí. Las asanas de yoga hacen que todo lo que hay dentro de su cuerpo se mueva sin que usted lo sepa. Independientemente de su posición en su cuerpo, cada músculo y tejido puede ser hecho para moverse a través del yoga.

El movimiento es la vida, y también elimina los bloqueos. Cuando se mueve, se crea energía. Por lo tanto, el yoga de los chakras "revuelve" la energía estancada en el chakra, creando el movimiento que, a su vez, despeja los bloqueos y el camino de la energía fluye libremente. Sigamos adelante y veamos qué posturas de yoga funcionan mejor para cada uno de los siete chakras.

Posturas de yoga para el muladhara

Las posturas de yoga para el muladhara son las que le ayudan a conectarse a tierra y a centrarse. Aunque las posturas recomendadas le hacen sentirse conectado a tierra y seguro, también le hacen sentirse libre al mismo tiempo. Es casi como una paradoja. La sensación de libertad se produce cuando nos sentimos seguros y arraigados.

Tadasana o postura de la montaña

Se llama postura de la montaña porque su cuerpo parecerá una montaña con una base ancha y una punta estrecha cuando la realice. A menudo, abusamos de nuestro cuerpo al no equilibrar nuestro peso de forma correcta. Nos ponemos de pie y ejercemos presión solo en un lado, lo que crea un desequilibrio en nuestra postura, especialmente a largo plazo. La postura de la montaña le ayudará a restablecer el equilibrio de su cuerpo. Siga los siguientes pasos para hacer esta postura:

• Colóquese en su esterilla con las plantas de los pies bien apoyadas en el suelo. Sienta la firmeza al presionar el suelo.

• Cierre los ojos para no distraerse con los elementos visuales que le rodean.

• Asegúrese de que el peso de su cuerpo esté distribuido por igual en ambos pies. Para ello, asegúrese de que los dedos, la planta y el talón de ambos pies estén firmemente apoyados en el suelo. Toque el suelo en estos tres puntos con ambos pies.

• Asegúrese de que las rodillas se estiran suavemente sin ejercer una presión excesiva sobre ellas. Para ello, puede doblar ligeramente las rodillas y volver a enderezarlas para aflojar las articulaciones de la rodilla.

• Reafirme los músculos de los muslos. Alargue el coxis y visualice una línea de energía que pasa por la columna vertebral.

• Enrolle los hombros hacia atrás y ensanche las clavículas, lo que ayuda a abrir la parte superior del cuerpo.

• Levante la cabeza, lo que alargará su cuello.

• Levante los brazos por encima de la cabeza y entrelace los dedos. También puede juntar las palmas de las manos en el mudra de la oración.

• Ahora, inhale profundamente, levante los talones y póngase de puntillas. Estírese en dirección ascendente y sienta la presión del estiramiento desde los dedos de los pies hasta la punta de los dedos.

• Mantenga esta posición durante un rato, asegurándose de seguir respirando suavemente.

• Vuelva al suelo mientras exhala. Puede repetir este ejercicio tantas veces como se sienta cómodo.

Puede probar esta postura en la hierba, la arena o la tierra donde esté directamente en contacto con la madre tierra para obtener mejores resultados.

Malasana o la postura en cuclillas

Malasana es una postura en cuclillas. Siga los siguientes pasos para realizar esta postura:

- Póngase en cuclillas en el suelo o en su esterilla. Mantenga los pies tan próximos entre sí como sea posible.

- Intente mantener los pies tan planos como pueda. Sienta la firmeza de sus pies al tocar el suelo.

- Abra los muslos lo más posible. Intente separarlos lo suficiente como para llevar el torso hacia delante entre los muslos. Utilice los codos para empujar las rodillas hacia fuera.

- Coloque las palmas de las manos en el anjali mudra (el gesto de la oración).

- Alargue el torso hacia la posición delantera y apriete al máximo la parte interior de los muslos.

- Mantenga esta posición todo el tiempo que pueda (durante unos 30 a 60 segundos) o hasta que empiece a sentirse incómodo.

• Vuelva lentamente a la posición inicial y póngase de nuevo en pie.

A medida que gane confianza, puede hacer un giro mientras está en la postura en cuclillas. Este giro fortalecerá el coxis, la columna vertebral y la zona del cuello.

Posturas de yoga para el svadhisthana

Muchas posturas de yoga funcionan bien para limpiar y equilibrar la energía del chakra sacro, especialmente las que ayudan a abrir las caderas y a fortalecer los músculos de la cadera y los glúteos. Todas estas asanas están diseñadas para abrir el chakra sacro y liberar las emociones acumuladas allí de su sistema.

Baddha Virabhadrasana o la postura del guerrero humilde

Esta postura se asemeja a la de un guerrero que se inclina hacia delante con humildad y con las manos unidas en la espalda. Siga los siguientes pasos para realizar esta asana:

• En primer lugar, colóquese firmemente en el suelo, asegurándose de que está estable y tenga una base sólida.

• A continuación, mueva una de sus rodillas hacia adelante para alinearla directamente sobre el tobillo de la misma pierna. Esta posición requiere un fuerte equilibrio de las caderas que, a su vez, abre la cadera y libera la energía estancada en ella.

• A continuación, levante las manos, muévalas por encima de la cabeza y sujételas detrás de la espalda entrelazando los dedos. Este movimiento funde los omóplatos hacia abajo.

• A continuación, lleve el ombligo hacia la columna vertebral metiéndolo hacia dentro, asegurándose de que se involucra completamente con todos los músculos asociados en la zona del ombligo. Este movimiento también es bueno para el tercer chakra, el manipura, que reside en el centro del ombligo.

• Ahora, mueva la cabeza hacia delante, hacia el pie delantero, haciendo una reverencia mientras apoya la cabeza lo más cerca posible del suelo. Asegúrese de soltar la cabeza y el cuello, pero mantenga los hombros y las caderas alineados.

• Mantenga esta postura todo el tiempo que pueda, asegurándose de que su respiración es relajada y sin tensión.

• Cuando esté satisfecho, vuelva lentamente a la posición erguida antes de abandonar la postura.

La postura del guerrero humilde nos enseña la importancia de la humildad al dejar de lado nuestro ego y orgullo. Esta postura fortalece los músculos alrededor de las caderas y el núcleo interno, estimulando la energía del chakra sacro.

Mandukasana o la postura de la rana

Esta es una asana intensa y es perfecta para abrir la zona de la cadera y liberar las tensiones y presiones acumuladas. También ayuda a aliviar el dolor lumbar. Siga estos pasos para la postura de la rana:

• Siéntese cómodamente en vajrasana o la postura del rayo. Esta postura no es más que sentarse sobre las rodillas dobladas.

• Cierre ambos puños asegurándose de que los pulgares están dentro de los dedos.

• Ahora presione su ombligo con ambos puños cerrados e inclínese hacia adelante.

• Contenga la respiración mientras se inclina hacia delante y siga mirando al frente.

• Permanezca en esta posición todo el tiempo que pueda.

• Cuando no pueda aguantar más la respiración, inhale y vuelva a la postura de vajrasana.

• Repita esto de 3 a 4 veces.

Kumbhakasana o la postura de la plancha

La postura de la plancha estira la zona del abdomen, estimulando así el chakra sacro. Siga estos pasos:

• Acuéstese boca abajo con las muñecas debajo de los hombros.

• Extienda los dedos y presione los antebrazos y las manos, levantando el pecho hacia arriba. Mantenga el pecho levantado y asegúrese de que no se hunde.

• Mantenga la mirada hacia abajo, alargue la nuca y lleve los músculos del estómago hacia la columna vertebral.

• Meta los dedos de los pies y dé un paso atrás con los pies para que el cuerpo y la cabeza estén en línea recta.

• Mantenga los muslos en alto asegurándose de que las caderas no se hunden mucho.

• Es probable que sus glúteos sobresalgan en el aire. Si esto ocurre, reajuste su cuerpo alineando los hombros a lo largo de las muñecas.

• Mantenga esta posición durante cinco respiraciones.

• Cuando haya terminado, baje el cuerpo suavemente hasta el suelo.

• Puede aumentar gradualmente la duración de la postura de plancha hasta que pueda permanecer en ella entre 30 segundos y un minuto (nivel de maestría).

Curiosamente, almacenamos muchas emociones en la zona de la cadera y a menudo nos olvidamos de ellas. Se van acumulando allí, causando dolores aparentemente inexplicables, molestias y desequilibrios emocionales y espirituales. La postura de la rana atrae nuestra atención hacia las emociones acumuladas para liberarlas de nuestro sistema, limpiando y equilibrando así la energía en el chakra sacro.

Posturas de yoga para el manipura

Las posturas de yoga que aumentan la fuerza de los músculos centrales son excelentes para limpiar y equilibrar el manipura. Estas asanas para fortalecer el tronco avivan su fuego interior y le dan una energía renovada.

Paripurna navasana o la postura del barco

La postura del barco es un excelente ejercicio para el abdomen. A medida que su núcleo se fortalece, su confianza también aumenta. Además, esta asana ayuda a aliviar los gases y la hinchazón a la vez que fortalece los músculos del estómago y la espalda. Siga los siguientes pasos para realizar esta postura:

- Empiece en posición sentada. Las rodillas tienen que estar dobladas y los pies deben estar apoyados en el suelo. Respire profundamente un par de veces.

- Ahora, levante los pies del suelo. Manteniendo las rodillas dobladas, pon las espinillas paralelas al suelo. Esta es la posición de media barca.

- El torso se moverá automáticamente hacia atrás. Asegúrese de mantener la columna vertebral recta. Evite curvarla.

- Enderece las piernas hasta un ángulo de 45 grados sin comprometer la posición de la parte superior del cuerpo. Debe mantener el torso tan recto como pueda. Para los principiantes, es posible que el grado de las piernas sea inferior a 45°. El objetivo es hacer una forma de V con las piernas y el torso, siendo los glúteos el vórtice de la V.

• Cuando esté preparado, eche los hombros hacia atrás y estire los brazos paralelos al suelo con las palmas hacia arriba.

• Intente, en la medida de lo posible, equilibrar los huesos de los glúteos. Sin embargo, no pasa nada si se apoya ligeramente por detrás de estos huesos. Levante el pecho para lograr el equilibrio y el apoyo mientras mantiene esta postura del barco durante todo el tiempo que pueda.

• Cuando esté preparado, suelte las piernas al exhalar y siéntese al inhalar.

• Puede repetir esta postura de 2 a 3 veces.

La postura del barco también mejora nuestros procesos digestivos, ayudándonos a liberar sentimientos y emociones que podrían estar atascados allí, impactando directamente en su manipura.

Ardha matsyendrasana o media torsión sentada

Esta postura es excelente para estimular el chakra del ombligo desde la parte delantera hasta la trasera. Alivia los dolores de espalda, ayuda a la digestión y abre su manipura. Siga los siguientes pasos para realizar la postura de media torsión sentada:

- Comience por sentarse en el suelo cómodamente con las piernas estiradas.

- Los brazos deben estar detrás de la espalda, con las palmas de las manos hacia abajo y los dedos hacia fuera.

- Tome su pie izquierdo y llévelo hasta la rodilla derecha. Cruce la pierna derecha y coloque el pie izquierdo apoyado en el suelo sobre la parte exterior de la rodilla derecha.

- Lleve el brazo derecho hacia delante y coloque el codo en la parte exterior de la pierna izquierda.

- Ahora gire el pecho, la cabeza y los ojos hacia la izquierda.

- Mantenga esta postura durante un minuto o hasta que se sienta cómodo. Recuerde respirar suavemente.

- Cuando termine, gire primero la cabeza hacia atrás y luego el pecho.

- Vuelva a colocar su cuerpo lentamente en la posición sentada original con las piernas estiradas delante de usted.

- Repita esto también con la otra pierna.

La postura de media torsión sentada es excelente cuando desea calmar sus nervios agitados y desea volver a sus verdaderas intenciones y propósitos.

Posturas de yoga para el anahata

Las posturas que abren la parte delantera o trasera de los hombros y el pecho son adecuadas para el chakra del corazón. Un anahata bloqueado y ahogado anhela liberarse de todas las emociones y penas acumuladas.

Las posturas de flexión hacia atrás son estupendas para crear confianza en uno mismo, lo que, a su vez, le da la fuerza necesaria para liberar todos sus sentimientos y emociones reprimidos. Por otro lado, si siente que está dando demasiado de sí mismo a la gente, entonces concéntrese en estas posturas que abren la parte delantera.

Ustrasana o la postura del camello

La postura del camello se considera una de las posturas más vulnerables de la que muchos rehuyen porque tiende a impulsarnos a abrirnos de formas que nunca antes habíamos experimentado.

Después de todo, abrir toda nuestra parte delantera, incluyendo la garganta, el cuello, el abdomen y la zona pélvica, no es algo fácil de hacer. Esa es la razón por la que la postura del camello es perfecta para el chakra del corazón. Si siente náuseas cuando hace la postura del camello, recuerde que es natural, especialmente para los principiantes. Siga estos pasos para la ustrasana:

> • Comience por arrodillarse y mantener el cuerpo erguido. Las caderas deben estar alineadas por encima de la rodilla. Si sus rodillas son sensibles, puede utilizar un cojín. La parte superior de los pies debe estar apoyada en el suelo.

> • Suba las manos hasta que las palmas rodeen los lados y la parte delantera de la caja torácica de ambos lados. Los codos deben apuntar hacia afuera. Con este agarre, levante la caja torácica mientras abre el pecho hacia el techo.

• Mantenga esta posición hasta que lleve las manos de una en una a agarrar cada talón.

• Ahora, empuje la cabeza hacia atrás para que la garganta quede también expuesta. Mantenga esta posición todo el tiempo que pueda, asegurándose de respirar profundamente.

• Para liberarse, vuelva a colocar la cabeza en su posición original. Vuelva a colocar las manos en las caderas. Refuerce su núcleo y apoye la zona lumbar para poder volver a la posición inicial de rodillas.

Lo mejor es adoptar la postura del camello lentamente. Puede empezar simplemente colocando las manos en la espalda y mirando hacia el cielo. Cuando empiece a sentirte cómodo, puede profundizar en la postura. Está perfectamente bien sentirse vulnerable después de esta postura. La vulnerabilidad le ayuda a potenciar la apertura y el desbloqueo del chakra del corazón, pero lleva tiempo aceptar la vulnerabilidad en su vida.

Virabhadrasana o la postura del guerrero

La postura del guerrero suaviza y fortalece simultáneamente. Le ayuda a enraizarse a través de su chakra raíz, incluso cuando abre su chakra del corazón. Debe conectarse a tierra con firmeza, para lo cual necesita fortalecer su chakra base. Sin esto, si abre su chakra del corazón, puede fluir un exceso de energía a través de él, haciéndolo vulnerable. En ese estado, es fácil que los demás nos manipulen. Siga estos pasos para la postura del guerrero:

- Comience con tadasana o postura de la montaña. Ahora, mueva suavemente el pie izquierdo hacia atrás y el pie derecho hacia delante, manteniendo una distancia de unos 4 pies entre ellos. Asegúrese de que los talones izquierdo y derecho estén alineados entre sí.

- Levante los brazos por encima de la cabeza, perpendiculares al suelo.

- Apoye los huesos de los hombros en la espalda.

- Ahora, gire el pie izquierdo unos 45 o 60 grados hacia la izquierda, y el pie derecho debe estar recto.

- A continuación, exhale y gire el pecho hacia la derecha. A medida que la cadera izquierda se adelanta, presione contra el hueso del muslo izquierdo hacia atrás para que pueda sentir el efecto de conexión a tierra en el talón.

- Alargue el coxis hacia el suelo y arquee ligeramente la parte superior del torso hacia atrás.

- Ahora, doble la rodilla derecha hacia delante y alinéela con el talón derecho. Intente mantener el muslo derecho lo más paralelo posible al suelo.

- Estírese hacia arriba, sintiendo el movimiento fuerte hacia arriba con sus manos extendidas. Al presionar el pie trasero contra el suelo, sienta la luz que asciende por su pierna trasera, a través del vientre y el pecho, y hasta los brazos.

- Si es posible, junte las palmas de las manos en el mudra de la oración.

• Asegúrece de que su cabeza está en una posición neutra y mirando al frente.

• Permanezca en esta posición entre 30 segundos y un minuto. Vuelva lentamente a la posición original de tadasana llevando el pie trasero al frente y llevando el pie delantero hacia atrás. Finalmente, relájese de la postura tadasana.

La postura del guerrero puede y debe utilizarse siempre que desee volver a sí mismo con amor y suavidad. Al practicar la asana, sienta que la energía de la tierra le da estabilidad y fuerza y sienta la profunda apertura de las zonas del pecho y del corazón.

Posturas de yoga para el vishuddha

Las posturas que abren la zona del cuello y la garganta son excelentes para el vishuddha. Muchos de nosotros mantenemos involuntariamente una gran tensión en la zona de la garganta debido a la falta de energía o al exceso de la misma. Las posturas de yoga que se mencionan a continuación devuelven el equilibrio a la zona de la garganta y el cuello, despejando los bloqueos y dejando espacio para la creatividad individual y la energía para construir excelentes habilidades de comunicación.

Bhujangasana o la postura de la cobra

La postura de la cobra es ideal para abrir el cuello y la garganta. También ayuda a fortalecer la parte posterior del cuello. En consecuencia, el chakra de la garganta se estimula. Siga estos pasos para la postura de la cobra:

- Acuéstese sobre su abdomen.

- Apoye los antebrazos en el suelo con las palmas de las manos presionando el suelo. Los codos deben estar alineados con los hombros y ambos brazos deben estar paralelos entre sí.

- Estire la pierna hacia atrás, manteniendo una distancia de aproximadamente un pie entre ellas.

- Separe los dedos de los pies y presione la parte superior contra el suelo.

- Reafirme las piernas, pero haciendo rodar la parte exterior de los muslos hacia abajo y la parte interior hacia arriba. Estire el coxis hacia los pies.

- En esta posición, levante la zona del pecho presionando hacia abajo los antebrazos. Siga presionando los antebrazos hacia abajo y suba el pecho todo lo que pueda sin sentirse incómodo.

- Mantenga esta posición todo el tiempo que pueda, respirando profundamente. Observe todas sus sensaciones, estiramientos y tirones.

- Cuando haya terminado, suelte los antebrazos suavemente hacia el suelo. Relájese y respire suavemente hacia la espalda.

Halasana o la postura del arado

La postura del arado es excelente para rejuvenecer el chakra de la garganta y llenarlo de nueva energía. También ayuda a fortalecer la parte posterior del cuello. También estira los músculos de la parte inferior de la espalda, una zona que no suele ser objeto de las posturas de yoga. La postura del arado tiene un efecto calmante y tranquilizador en el practicante. Siga estos pasos para la halasana:

- Acuéstese sobre su espalda.

- Las manos deben estar a ambos lados, con las palmas presionando firmemente el suelo. También puede presionar los antebrazos para hacer palanca y apoyarse.

- Levante las piernas hasta los 90 grados y haga una pausa en esta posición.

- Después de la pausa, levante los glúteos y utilice los músculos centrales para llevar las piernas hacia arriba y por encima de la cabeza hasta que los dedos de los pies toquen el suelo por encima de la cabeza. Asegúrese de que las piernas permanezcan rectas. No deben estar dobladas.

- Ahora, tome las manos por debajo de los glúteos levantados y entrelace los dedos. Mantenga los hombros enraizados. Levante el pecho para apoyar esta acción.

• Sus caderas deben estar en línea con sus hombros. Presione los dedos de los pies que tocan el suelo para obtener estabilidad y apoyo.

• Asegúrese de no mover la cabeza en esta posición porque puede ser bastante peligroso para el cuello. Mantenga el cuello en posición neutral y mire suavemente hacia el techo.

• Además, el diafragma está presionado en esta posición, lo que dificulta la respiración. Por lo tanto, a la mayoría de los principiantes les resulta difícil permanecer en esta postura durante más de 3 o 5 respiraciones, lo cual está perfectamente bien.

• Cuando termine, vuelva a colocar las manos en el suelo a ambos lados. Levante los pies por detrás de la cabeza y vuelva lentamente a la posición original.

Posturas de yoga para el chakra ajna

El tercer ojo puede limpiarse y equilibrarse de forma más eficaz a través de la meditación. Sin embargo, muchas asanas le ayudan a reconectar con su intuición, el elemento vinculado al chakra del tercer ojo. Las posturas que tocan la frente con el suelo o invierten la cabeza son excelentes para iluminar y estimular el chakra ajna. Curiosamente, las posturas en las que no puede ver su cuerpo, sino que tiene que guiarse por sus sentimientos y sensaciones son útiles para limpiar y despejar el sexto chakra.

Ardha pincha mayurasana o la postura del delfín

La postura del delfín es excelente para que la sangre fluya hacia el chakra del tercer ojo. Los siguientes pasos le ayudarán a iniciar la postura del delfín:

- Empiece en cuatro patas, asegurándose de que las muñecas están colocadas bajo los hombros y las rodillas bajo las caderas.

- Entrelace los dedos por debajo de los hombros. Los codos deben estar en el suelo en una posición ligeramente más hacia dentro con respecto a los hombros.

- A continuación, presione hacia abajo los antebrazos y presione los codos para levantar los hombros lejos de las orejas.

- Desde esta posición, exhale y mueva las caderas hacia arriba, extendiendo las piernas. Deje que la cabeza cuelgue libremente sin ninguna presión o tensión en la zona del cuello.

- Presione los huesos de los hombros hacia la zona del pecho, lo que abrirá su columna torácica.

• Si tiene los isquiotibiales muy tensos, doble ligeramente las rodillas para liberar la presión en esa zona.

• Si se siente cómodo y puede hacerlo, empiece a caminar con los pies hacia el codo. Si no puede, simplemente mantenga esta posición el mayor tiempo posible, asegurándose de respirar continuamente.

• Cuando haya terminado, deje caer suavemente las rodillas al suelo y vuelva a colocar las caderas en su lugar de descanso sobre las rodillas. Vuelva a colocar los brazos en la posición original junto a las caderas. Esta es la postura del niño. Descanse aquí un rato antes de relajarse por completo.

La postura del delfín abre los isquiotibiales, fortalece los músculos de los hombros y prepara el cuerpo y la mente para ponerse boca abajo. Estas posturas nos impulsan a adoptar perspectivas nuevas y desconocidas, ayudándonos a ampliar nuestro conocimiento y sabiduría.

Pincha mayurasana o postura del pavo real emplumado

Esta postura estimula el chakra ajna al ponerlo completamente boca abajo. Siga estos pasos:

- Comience con tadasana o postura de la montaña. Mantenga los hombros y los codos alineados y la mirada hacia abajo justo entre los antebrazos.

- Inhale y extienda la pierna derecha hacia arriba, asegurándose de que esté recta y no se doble su rodilla.

- Estire el talón interior y la pierna derecha interior y muévala hacia la pared. Asegúrese de que las caderas están niveladas girando la pierna derecha exterior.

- Recuerde que no debe girar la pierna abierta, ya que puede provocar molestias y tensión en una mano, ya que el peso de su cuerpo se desplazará automáticamente a una mano.

- Mantenga esta posición durante un rato, notando todos los estiramientos y tirones que puede sentir en todo el cuerpo. Asegúrese de respirar suavemente.

- A continuación, vuelva a la postura del delfín. Después, repita lo mismo con el pie izquierdo y, con el impulso que consiga ahí, levante también la pierna derecha.

- Extienda las piernas lejos de los hombros y aleje los glúteos de la pared.

- Apoye los pies en la pared y mantenga esta posición todo el tiempo que pueda.

Cuando termine, suelte lentamente las piernas y déjelas caer suavemente en el suelo. Vuelva a la postura del delfín y luego libérese lentamente de esta también.

La postura del pavo real emplumado abre los hombros y fortalece los brazos. La estimulación del chakra del tercer ojo eleva el estado de ánimo y el espíritu.

Posturas de yoga para el sahasrara

De nuevo, la meditación es la mejor manera de estimular y activar el chakra de la corona. Cuando su chakra de la corona está equilibrado, todos los aspectos de su vida están equilibrados, incluyendo el femenino y masculino, oscuro y luminoso, bueno y malo, etc. Estas son algunas posturas para el chakra de la corona.

Adho mukha svanasana o la postura del perro hacia abajo

Esta postura, también llamada postura del perro boca abajo, es excelente para equilibrar todo el cuerpo. Esta postura le ayuda a equilibrar los lados derecho e izquierdo de su cuerpo y el sentido del equilibrio entre las manos y los pies también.

> • Póngase de pie, asegurándose de que la columna vertebral está erguida y los pies están juntos. Los dedos gordos de los pies y los talones deben tocarse ligeramente.

> • Las manos deben estar a los lados y el peso del cuerpo debe estar distribuido uniformemente sobre los talones y los dedos de los pies.

> • Relájese en esta posición y respire profundamente un par de veces antes de empezar.

• Arrodíllese en el suelo, asegurándose de mantener una distancia entre las rodillas del ancho de la cadera.

• Ahora inclínese hacia delante y coloque las manos en el suelo debajo de los hombros. Los brazos y los muslos deben estar perpendiculares al suelo. Las rodillas deben estar alineadas con las manos y las muñecas deben estar en línea con los hombros.

• Presione las manos en el suelo y levante suavemente las caderas. Apóyese doblando los dedos de los pies.

• Mire hacia abajo, manteniendo las rodillas y los codos doblados durante un rato mientras se relaja con un par de respiraciones en esta posición.

• Cuando esté preparada, enderece los codos y las rodillas, asegurándose de que los talones tocan el suelo y la parte interna de los brazos toca las orejas. Mire su ombligo en esta última posición.

• Aquí sentirá un intenso estiramiento en los músculos de la parte posterior de las piernas. Permanezca en esta posición todo el tiempo que pueda o hasta que se sienta cómodo. Sea consciente de su respiración.

• Para volver, levante la cabeza, doble las rodillas y los codos y siéntese en la esterilla o en el suelo.

• Puede repetir esta asana tres o cuatro veces, aumentando poco a poco el tiempo de permanencia en la posición final.

Natarajasana o la postura del bailarín

En la postura del bailarín, tiene que encontrar un equilibrio entre la pierna levantada y la parte superior del cuerpo, lo que, a su vez, le ayudará a ganar equilibrio en todo su sistema. Utilice los siguientes pasos para la postura del bailarín:

- Comience en la postura de la montaña. Apoye los pies firmemente en el suelo y encuentre un punto delante de usted en el que pueda concentrarse.

- Al exhalar, doble la rodilla izquierda hacia atrás, llevando el pie izquierdo hacia el glúteo izquierdo.

- Sujete la parte exterior de los pies con la mano izquierda.

- Reforzar la pierna y la cadera derecha para que la pierna que está de pie sea fuerte y esté equilibrada.

- Mantenga el pecho abierto, el torso erguido y alargue el coxis hacia los pies.

- Al inhalar, empuje el pie izquierdo hacia atrás y levántelo hasta que el muslo derecho quede paralelo al suelo. Además, en esta posición, la pierna que permanece apoyada debe estar a 90 grados respecto al hueso del muslo levantado.

- Levante el brazo derecho un poco más arriba de de la línea paralela al suelo. Debe estar cerca de la oreja.

• Permanezca en esta posición todo el tiempo que pueda o durante 5 o 6 respiraciones.

• Para salir de esta postura, suelte la pierna izquierda al inhalar y vuelva a la postura de la montaña.

• Repita la operación con la otra pierna.

Al practicar esta postura, podrá encontrar el equilibrio entre sus chakras superiores e inferiores, lo que, a su vez, ayudará a liberar su chakra de la corona.

Savasana o la postura del cadáver

La postura del cadáver es una de las posturas meditativas más eficaces que puede hacer para estimular el sahasrara. Simplemente acuéstese sobre su espalda y relájese completamente mientras se concentra en cada parte de su cuerpo, respirando en él y liberando cualquier tensión y nudo que pueda encontrar.

La postura del cadáver le permite descansar su mente, aclarar sus pensamientos. Su cuerpo se funde con la esterilla. Cuando descanse después de completar todas las posturas de yoga para los siete chakras, se sentirá completamente relajado y a la vez, totalmente rejuvenecido. Concéntrese en cada uno de los siete chakras y sienta la energía renovada que surge en todos ellos.

Todas las posturas de las que se habla en este capítulo pueden realizarse en casa. Empiece poco a poco, con estiramientos y tirones cortos y sencillos, y deténgase cuando se sienta incómodo. Puede aumentar gradualmente la intensidad de los estiramientos en la postura, la precisión y el tiempo de permanencia en ella a medida que se sienta cada vez más cómodo.

Practicar yoga con regularidad es una forma excelente, eficaz y divertida de alinear la energía de sus chakras y mantenerlos equilibrados y armonizados. Además, el yoga le ayuda a equilibrar su conexión entre cuerpo y mente. También puede cantar el mantra de la semilla correspondiente mientras hace la asana para cada uno de los chakras. La vibración del sonido del mantra bija y la energía de la asana se combinan maravillosamente, aumentando la eficacia de todo el ejercicio.

Capítulo 14: Reto de la activación completa de los chakras

Ahora que ya sabe cómo tomar conciencia de sus chakras y de su energía y cómo limpiarlos y equilibrarlos, es el momento de pasar a retos un poco más significativos. El desafío de la activación completa de los chakras que se discute en este capítulo es un proceso que puede durar varios días (tres días o más). Si lo realiza con éxito, este proceso completo limpiará, activará y estimulará todos sus siete chakras.

Puede utilizar la siguiente secuencia. En este capítulo, cada actividad se realiza durante un día para aprenderla y dominarla mientras la practica a lo largo del día. Sin embargo, puede combinar un par de procesos y reducir el tiempo para terminar todo el reto.

Ayuno/dieta - Día 1

El primer día, concéntrese en los alimentos y la dieta que consume. Asegúrese de consumir alimentos que sean buenos para los siete chakras en sus comidas diarias. Aquí hay un pequeño ejemplo de sus cuatro comidas que incluye los diversos alimentos que activan los siete chakras:

Desayuno - Potencie sus chakras raíz y sacro con un desayuno centrado en la ingesta de los alimentos que le hacen bien. Aquí tiene un par de menús para usted:

- Huevos y tocino condimentados con pimienta y pimentón y jugo de remolacha.

- Sándwiches de mantequilla de cacahuete y jugo de zanahoria.

- Un tazón de fruta consistente en mangos (si son de temporada), fresas y melones aderezados con miel y frutos secos picados. Este menú está repleto de elementos que ayudan a su chakra sacro.

Almuerzo - El arroz y la cúrcuma son excelentes para el chakra del ombligo. Así que puede comer un arroz saludable condimentado con cúrcuma con una guarnición de frijoles y/o carnes para su almuerzo. Incluya en la guarnición una verdura de hoja verde, como el brócoli, que también nutrirá su chakra del corazón.

Merienda de la tarde - El té verde es excelente para el chakra del corazón. Beba una taza de té con una ramita de menta. La menta es un remedio perfecto para limpiar y despejar el chakra de la garganta. En lugar de té, puede beber un jugo de frutas que fortalecerá su chakra de la garganta.

Cena - Una pequeña y saludable dosis de vino de uva potenciará su chakra ajna. Coma un pequeño tazón de ensalada de frutas hechas de frutas azules como moras y arándanos.

Intente ayunar una vez cada quince días, ya que el ayuno es un gran remedio para su sahasrara. La dieta anterior es solo una pequeña muestra. Utilice este formato para crear su dieta diaria e incluir alimentos que potencien todos sus chakras. Concéntrese en esta actividad el día 1. Cree también un plan de comidas para el desafío de 6 días, de modo que su dieta para potenciar los chakras se encuentre preparada.

Meditación diaria y canto de mantras - Día 2

Puede convertirlo en su rutina diaria una vez que haya dominado su dieta y la ingesta de alimentos para que coincida con los requisitos de sus chakras. Así, en el día 2, mientras que su ingesta de alimentos continuará como lo planeado en el día 1, puede comenzar con la meditación para los siete chakras también. Aquí hay un ejemplo que puede seguir para meditar en los siete chakras usando también el poder del mantra de la semilla:

Meditación para el chakra raíz

Hágalo por la mañana para establecer una sensación de estabilidad al comienzo de su día.

Aproveche un momento de su mañana, antes de que comience la actividad frenética, para concentrarse en su chakra raíz. Cuando se despierte, cierre los ojos sentado en su cama, siempre que sepa que no le van a molestar durante unos cinco minutos. Si puede, ponga música usando sus auriculares.

Cierre los ojos y concéntrese en su chakra base. Imagine que está cubierto por una poderosa luz roja que lo mantiene a salvo. visualice esta luz saliendo de su coxis y asegurándose a la tierra, enraizándose y estabilizándose. Puede repetir el mantra de la semilla LAM o una afirmación para el chakra de la raíz como: "Estoy seguro. Estoy seguro".

Permanezca con este pensamiento durante unos 5 minutos.

Meditación para el chakra sacro

Hágalo entre el desayuno y el almuerzo para que su sistema digestivo esté limpio y preparado para gestionar la ingesta de alimentos a lo largo del día. De nuevo, busque un lugar tranquilo donde no le molesten durante 5 minutos. Si está en su lugar de trabajo, puede escaparse a un parque cercano o incluso al baño para hacerlo.

Cierre los ojos y concéntrese en su chakra sacro. Imagine que una luz cálida y anaranjada rodea la región sacra llenando todos los órganos a su alrededor con su poder. Visualice esta luz lavando todas las emociones acumuladas en su región sacra y limpiándolas, dejándole libre de sus cargas. Repita el mantra semilla VAM o una afirmación positiva como: "Soy creativo. Soy emocionalmente fuerte". Mantenga esta visualización durante cinco minutos.

Meditación para el chakra del plexo solar

Haga esto cuando haya transcurrido una hora desde su almuerzo. Utilice el mismo lugar que utilizó para meditar en el chakra sacro. Cierre los ojos e imagine que una luz amarilla cubre la región del ombligo debajo del esternón. Imagine que esta luz protege toda la región del pecho con su calor y poder.

Concéntrese en la luz amarilla y sienta que le llena de confianza y motivación. Cante el mantra de la semilla RAM o una afirmación positiva como: "Me siento fuerte con mi poder personal". Mantenga esta meditación visual durante cinco minutos.

Meditación para el chakra del corazón

Hágalo justo antes de su té de la tarde. Busque un lugar tranquilo, cierre los ojos y visualice una luz verde pacífica que rodea la región del chakra del corazón. El color verde se asocia con el anahata. Imagine que esta luz verde llena su mente de amor incondicional y compasión.

Visualice que la luz entra en su chakra del corazón y lo limpia de todas las energías negativas, abriendo un portal a través del cual puede producirse un intercambio de amor incondicional entre usted y el mundo. Repita el mantra de la semilla YAM o una afirmación positiva como: "Estoy listo para recibir y dar amor incondicional". Mantenga esta meditación visual durante cinco minutos.

Meditación para el chakra de la garganta

Un buen momento para esta meditación es cuando vuelve a casa después de un día agitado de trabajo. Es probable que la zona de la garganta se sienta dolorida por el estrés del día. Lo mejor es limpiarla y purificarla antes de empezar su rutina nocturna en casa.

Cuando vuelve a casa, seguro que dedica algún tiempo a ponerse ropa informal y cómoda. Puede aprovechar este tiempo para meditar en su chakra de la garganta antes de reunirse con la familia. Cierre los ojos e imagine que una luz azul cubre y protege la zona del cuello y la garganta.

Imagine que esta luz aclara el dolor y el cansancio que siente en la garganta. Repita el mantra de la semilla HAM o una afirmación positiva como: "Puedo expresarme con claridad". Mantenga esta posición durante unos cinco minutos.

Meditación para el tercer ojo y los chakras de la corona

Tiene sentido combinar la meditación para estos dos chakras, ya que ambos se ocupan de sus aspiraciones espirituales. Cuando la rutina de la noche haya terminado, y sea hora de dormir, pase algún tiempo consigo mismo antes de acostarse.

Este es el mejor momento para centrarse en los principales chakras espirituales. Cierre los ojos y concéntrese suavemente en el punto entre sus ojos, la región del chakra ajna. Imagine que una luz púrpura emana de esta región y llena su cuerpo y su mente de sabiduría y conocimiento. Sumérjase en esta sensación durante 5 minutos, repitiendo el mantra de la semilla AUM.

Cuando esté satisfecho, pase a su chakra de la corona. Imagine que una luz blanca y brillante procedente del cosmos entra en su cuerpo a través de la corona. Visualice que esta luz divina inunda su cuerpo y su mente con poder y fuerza. Relájese sabiendo que puede acceder a este suministro ilimitado de poder cósmico en cualquier momento y en cualquier lugar.

En lugar de cantar cualquier mantra, simplemente escuche lo que el cosmos está tratando de decirle. Permanezca atento a sus guías espirituales y vea si le traen un mensaje de lo divino. Mantenga esta imagen durante unos 5 minutos antes de abrir los ojos.

Por último, no olvide mostrar gratitud por su vida y por todo lo que le ofrece. Además, recuerde perdonarse a sí mismo y a los demás al final del día para liberarse de la carga de los errores y equivocaciones que puedan haber ocurrido. Puede tener una noche de sueño reparador y despertarse fresco y rejuvenecido para afrontar los retos y las alegrías de un nuevo día. Puede utilizar las siguientes afirmaciones positivas para expresar su gratitud y perdón:

- Estoy agradecido por todo lo que la vida me ofrece.
- Estoy agradecido por un día bien aprovechado.
- Estoy agradecido por un hogar seguro y protegido.
- Estoy agradecido por una familia cariñosa.
- Estoy agradecido por el alimento físico, mental y emocional que he recibido hoy.
- Estoy agradecido por los desafíos de la vida que me enseñan lecciones vitales para mi crecimiento y desarrollo.
- Reconozco mis debilidades y errores y me perdono.
- Aprendo con gusto de mis errores sin rehuirles.
- Libero la carga de la culpa y la vergüenza.
- Dejo de odiarme a mí mismo y abrazo el amor propio.

Respiración de los chakras - Día 3

Siga el mismo orden que el de la meditación para realizar los siguientes ejercicios de respiración de los chakras y canto de mantras para sus siete vórtices energéticos. Utilice el siguiente procedimiento para incluir la respiración de los chakras en su desafío de activación de los chakras de 6 días.

Póngase de pie con los pies un poco separados entre sí. Mantenga su cuerpo relajado.

Abra la boca y respire en su primer chakra, asegurándose de que la inhalación y la exhalación tengan la misma intensidad. Visualice que las respiraciones que realiza pasan al chakra raíz y lo aseguran. Respire al ritmo que le resulte más cómodo y perciba los sentimientos y las sensaciones en su chakra raíz. Hágalo durante unos 4 o 5 minutos. De la misma manera, incluya los ejercicios de respiración de los chakras en cada proceso de activación de los chakras, de acuerdo con el programa indicado anteriormente.

Yoga para sus chakras - Día 4

Ahora que ha incluido la meditación, la respiración de los chakras y el canto de mantras para los siete chakras, está listo para incluir el yoga de los chakras para todos ellos. Hágalo junto con su sesión de meditación y respiración de los chakras.

Practique vrksasana (o la postura del árbol) para el muladhara, la postura de la diosa para el svadhisthana, las posturas del barco para el manipura, las posturas del camello para el anahata, la postura de los hombros para el vishuddha y las posturas del cadáver para el ajna y el sahasrara. Dedique unos cinco minutos a cada una de estas posturas mientras se concentra en cada chakra de acuerdo con el programa indicado anteriormente.

Uso de cristales y aceites esenciales - Día 5

La mejor manera de conseguir los efectos de los cristales y los aceites esenciales para sus chakras es utilizarlos en sus sesiones de meditación. Coloque los cristales en los puntos específicos de su cuerpo y queme los aceites esenciales específicos para el chakra.

Consulte de nuevo el capítulo 12 para saber qué cristales y aceites esenciales son buenos para los siete chakras.

Asanas de yoga para abrir los siete chakras - Día 6

Incluya asanas de yoga en sus sesiones de meditación que, a estas alturas, también están potenciadas por la energía de la respiración de los chakras, el yoga de los chakras, los cristales correspondientes y los aceites esenciales. Utilice la misma asana que eligió hacer en el día 4 para cada sesión de chakra. Necesitará entre 30 y 45 minutos más para hacer todas las asanas y abrir todos los chakras en una sola sesión. Solo recuerde hacer las siete en un mismo estiramiento.

Notará que su tiempo en cada chakra aumenta con cada día que pasa del desafío. El primer día, solo se centró en la comida y la dieta. El segundo día, se concentró en la comida y la meditación. El tercer día incluyó su atención en la ingesta de alimentos, la meditación y la respiración de los chakras, y así sucesivamente.

Al principio puede parecer mucho trabajo. A medida que avanza cada día, debe incluir la rutina del día anterior en el día siguiente, de modo que al final del día 6, todos sus chakras hayan recibido la energía de las diversas actividades energizantes. Todos están limpios, estimulados y listos para una acción óptima. Al final del día 6, dedicará entre 5 y 10 minutos en varios momentos del día a activar cada chakra por turnos, de acuerdo con la secuencia indicada en este libro.

Pero una vez que establezca el hábito en su rutina diaria, se dará cuenta de que no le quita demasiado tiempo. Y los beneficios de estas rutinas son inmensos. Así que haga ese esfuerzo extra y supere los seis días sin fallar y experimente el impacto positivo en su bienestar general al aprovechar el poder de los siete chakras.

Capítulo 15: Cuidado diario de los chakras

Debe tener una rutina diaria de cuidado de los chakras para mantener un bienestar óptimo de los mismos. Este cuidado diario también evitará que se repitan los bloqueos. El mantenimiento diario de sus chakras será muy fácil una vez que haya completado el desafío de activación completa de los chakras de 6 días. Puede utilizar las mismas ideas para crear una rutina diaria de cuidado de los chakras. He aquí una rutina sencilla que no le llevará más de 20 o 30 minutos de sus 24 horas.

Comience su día repitiendo afirmaciones positivas para cada uno de los siete chakras. Elija una de las muchas que aparecen en el libro. Esto no debería llevarle más de un par de minutos.

A continuación, medite en cada chakra, centrándose en el color, el símbolo y el poder. Cuando se detenga en cada uno de los puntos de energía, empezando por el chakra raíz, imagine que una luz del color asociado al chakra llena el espacio.

Disfrute de su calidez y empápese de las lecciones que le envían los guías espirituales. Puede cantar el mantra de la semilla unas cuantas veces para aprovechar el poder de la vibración. Dedique 2 minutos a cada chakra, lo que se traduce en 14 minutos de meditación.

Puede elegir su postura de yoga favorita para todos los chakras. Apréndala y domínela. Tome una asana por chakra a la vez y siga practicándola hasta que la domine. Entonces, puede tomar la siguiente asana para practicarla y dominarla. Si no tiene tiempo para practicar las asanas de todos los chakras, puede hacer inicialmente un chakra por día. Puede empezar por el chakra raíz.

Alternativamente, evalúe sus chakras (esta parte se discute más adelante en este capítulo), y comience con el chakra que le preocupa. Con una práctica dedicada y diligente, podrá hacer las siete asanas correspondientes a los siete chakras en unos 14 minutos a razón de 2 minutos por asana.

La rutina diaria para el cuidado de los chakras que acabamos de mencionar no le llevará más de 30 minutos de su tiempo.

Rutina diaria para cerrar los chakras

Después de un duro día de trabajo que incluyó procesos de activación y limpieza de los chakras, debe cerrarlos. Recuerde que sus chakras están recibiendo y enviando energía continuamente, manteniéndolos ocupados las 24 horas del día. Cerrar los chakras los calma, lo que, a su vez, conserva su energía para el día siguiente.

La visualización es una buena manera de cerrar los chakras cada noche antes de dormir. Empiece con una visualización de cada chakra en plena floración. Imagine que cada uno de los pétalos se cierra uno por uno. Empiece por el chakra raíz y utilice este proceso de visualización a medida que asciende hasta llegar al chakra de la corona.

Otro método de visualización es ver su chakra como un obturador de cámara. A medida que pasa por los siete chakras, empezando por el punto base, puede imaginar que el obturador de la cámara se cierra lentamente a medida que una cantidad decreciente de luz entra en él con cada momento que pasa, hasta que está completamente oscuro y el obturador se cierra por completo.

Más consejos sencillos para incluir el cuidado de los chakras en su rutina diaria

Ya sabe que limpiar y equilibrar sus chakras es esencial para mantenerlos en condiciones óptimas de funcionamiento. Cuanto más los cuide, más trabajarán para su bienestar emocional, mental y físico. He aquí algunos consejos y pautas sencillas que puede incorporar a su vida diaria para asegurarse de que sus chakras están cuidados de forma constante y diligente.

Evalúe sus chakras con frecuencia - Todos nosotros visitamos regularmente a nuestros médicos y dentistas para realizar chequeos rutinarios sobre el estado de la salud de nuestro cuerpo y nuestros dientes. El experto médico hace controles de diagnóstico de rutina, además de la exploración física de su cuerpo para ver si hay problemas en cualquier lugar. Estas revisiones periódicas también son necesarias para los chakras.

Nadie conoce su cuerpo, su mente y su espíritu mejor que usted. Y el único experto en este campo es USTED. Lleve su atención a su cuerpo y mente diciendo su nombre en voz alta. Este enfoque se basa en una antigua y eterna creencia egipcia de que se puede llamar a la existencia diciendo el nombre de alguien en voz alta.

Por lo tanto, pronuncie su propio nombre en voz baja y repetidamente. Esto también lleva su atención al momento presente. Cierre los ojos y busque la ayuda de sus guías espirituales. Permita que le guíen a través de sus chakras y deje que le muestren si hay problemas y dónde. Busque respuestas a las siguientes preguntas:

- ¿Dónde me siento bloqueado?
- ¿Dónde está mi nivel de energía bajo?

- ¿Cuáles son los puntos que me preocupan?
- ¿Qué puedo hacer para rectificar mis problemas?

Confíe en sus guías espirituales para que le den respuestas. Además, indague en su intuición, y allí también encontrará respuestas. Evalúese con frecuencia para poder detectar y resolver cualquier problema antes de que se desborde.

Otra forma de evaluar la salud de sus chakras es notar cómo se sienten. Quédese un minuto en cada chakra y observe las sensaciones que siente en ese espacio. Por ejemplo, si un chakra en particular está hiperactivo, es probable que la zona específica se sienta caliente. También puede notar mucha actividad en esa región del chakra. Por otro lado, si hay poca o ninguna actividad en el chakra, esa zona puede sentirse fría y desconectada.

Por supuesto, debe recordar que cada uno de nosotros es único, y la forma en que se manifiestan los estados de salud de los chakras también es diferente. Debe practicar la conexión, la observación y la toma de notas de las sensaciones y los sentimientos relacionados con los vórtices energéticos a diario. Pronto aprenderá a discernir entre un chakra sano y equilibrado y otro que necesita su atención y trabajo.

Yoga y meditación

En este libro se ha hablado mucho de la importancia del yoga y la meditación para el mantenimiento de la salud de sus chakras. El yoga y la meditación son dos de las formas más eficaces de autodescubrimiento. Siga esta rutina diariamente (no le llevará más de 10 o 15 minutos):

- Busque un lugar tranquilo y sin interrupciones y encienda una vela.
- Respire profundamente un par de veces y cierre los ojos.
- Visualice su cuerpo y los chakras en la alineación correcta.
- Imagine que está conectado con lo divino y con sus emociones.

• Imagine que está a salvo y seguro en el regazo de la madre tierra.

• Imagine la rueda giratoria de cada chakra y la luz que emana de ella extendiéndose por todo su cuerpo, energizando cada rincón y esquina.

• Cuando sepa que todos sus chakras han sido atendidos satisfactoriamente durante la sesión, abra los ojos y adáptese al mundo exterior.

Mantras matutinos - No se puede subestimar el poder de cantar mantras. Imagine su chakra como un recipiente de canto. El mantra semilla correspondiente es el percutor. Cuando usted canta el mantra, el tazón es golpeado, y las vibraciones resuenan en todo su sistema. Además, el sonido de los mantras elimina las energías negativas de su sistema y despeja los bloqueos de los chakras. Los mantras matutinos funcionan de la misma manera que la música.

Las afirmaciones positivas también pueden utilizarse como mantras matutinos. Utilizando los consejos de evaluación, averigüe cuál de los chakras necesita su atención. Coloque su mano en la región del chakra y utilice las afirmaciones positivas correspondientes. Aquí tiene algunas afirmaciones listas para usted:

• El chakra raíz - Me basto tal como soy. Estoy lleno de humildad.

• El chakra sacro - Llevo una vida creativa y alegre con un cuerpo hermoso, fuerte y radiante.

• El chakra del plexo solar - Me acepto de todo corazón sin juzgar mis puntos fuertes y débiles.

• El chakra del corazón - La base de mi vida es el amor. Estoy preparado para dar y recibir amor incondicional.

• El chakra de la garganta - Me expreso siempre con claridad y sin problemas.

• El chakra del tercer ojo - Estoy lleno de sabiduría y comprendo el verdadero propósito de mi vida.

- El chakra de la corona - Soy una persona divina, y estoy completo.

Diario - Escribir un diario es un aspecto vital del camino de la iluminación espiritual. Cuando transfiere sus pensamientos, miedos y preocupaciones al papel, las palabras que escribe revelan nuevas percepciones de sus problemas que, a su vez, ofrecen más soluciones. Cuanto más anote en su diario, más fácil le resultará desbloquear la sabiduría innata con la que todos nacemos.

Anote detalladamente todos los pensamientos que le surjan durante y después de una sesión de meditación. Responda a los siguientes tipos de preguntas en su diario:

- ¿Noto algún color en su cuerpo?

- ¿Dónde estaban esos colores? ¿Qué cree que reflejan?

- ¿Sintió dolor o molestia en alguna parte de su cuerpo? ¿Dónde? ¿Puede identificar la causa del dolor?

No olvide invitar a sus guías espirituales para que le den respuestas. Ellos están facultados para transferir los dones psíquicos a los verdaderos buscadores. Puede anotar las respuestas que reciba para las preguntas anteriores y otras más en su diario para futuras referencias. Estas prácticas diarias aumentarán la energía de su cuerpo y de su mente, permitiéndole aprovechar la fuerza ilimitada de todos los chakras.

Sus chakras son una parte integral de su sistema energético. Son tan cruciales para su salud física, mental y emocional como su cuerpo tangible. Descuidar la salud de su cuerpo energético sutil le acarreará complicaciones más adelante. Además, unos chakras sanos aumentan su poder personal y su aura, asegurando que lleve una vida plena y significativa sin compromisos.

Por lo tanto, cuidar de sus chakras es un reflejo de su amor propio. Hágalo sin compromiso y disfrute de los muchos beneficios de un sistema energético sutil bien equilibrado y armonizado.

Guía de bonificación: El despertar del tercer ojo

El tercer ojo es especialmente fascinante porque no solo forma parte del cuerpo energético sutil, sino que también está directamente relacionado con un importante órgano endocrino llamado glándula pineal. Esta glándula tiene forma de piña y está situada cerca de la hipófisis y del hipotálamo.

El chakra del tercer ojo y la glándula pineal

La glándula pineal también se conoce como el tercer ojo. Los videntes y místicos han venerado el tercer ojo porque se cree que es el órgano que conecta directamente con la divinidad cósmica. Se pueden encontrar múltiples referencias al significado del tercer ojo en casi todas las culturas antiguas del mundo.

En el hinduismo, el tercer ojo se representa como el ajna, el sexto chakra del sistema de cuerpos de energía sutil. Los antiguos egipcios lo llamaban el ojo de Horus, un ojo mágico con inmensos poderes de perspicacia y sabiduría que podía ver mucho más que el ojo humano ordinario. Siempre se ha considerado que el tercer ojo representa la claridad, la intuición, la imaginación y la concentración.

Desde el punto de vista biológico, la glándula pineal produce melatonina, que controla los órganos reproductores y el ritmo circadiano. Por lo tanto, la glándula pineal es el controlador maestro del tiempo porque influye en nuestros patrones de sueño y en la madurez reproductiva.

La melatonina también influye en nuestra capacidad de adaptación a los cambios de dinámica. Activada por la exposición a la luz, la glándula pineal controla y regula los distintos biorritmos del cuerpo: la glándula pineal y el hipotálamo trabajan en tándem para determinar nuestro reloj biológico.

La importancia de activar la glándula pineal

La mayoría de nosotros sentimos que no estamos autoactualizados: el estado en el que vivimos a nuestro completo y más alto potencial. Incluso esta "sensación" está en nuestra mente subconsciente, lo que significa que una parte de nosotros sabe y acepta que no estamos viviendo en nuestro estado de máximo potencial, mientras que la parte consciente de nosotros ni siquiera es consciente de esta posibilidad. Es cierto que, a medida que envejecemos, este dato se desplaza lentamente de nuestro subconsciente a nuestra mente consciente. A medida que envejecemos, también percibimos la diferencia entre vivir una vida comprometida y vivir una vida que abarque nuestro máximo potencial.

La razón de nuestra "ignorancia" es que nuestros cerebros no funcionan de la forma en que fueron diseñados originalmente. En concreto, la glándula pineal y muchas otras glándulas y órganos importantes no están funcionando de forma óptima según su diseño previsto. Lo bueno es que todavía podemos cambiar este estado y trabajar para alcanzar nuestro máximo potencial.

Una glándula pineal o el tercer ojo bloqueados conducen a múltiples problemas. Es más, puede que ni siquiera seamos conscientes de que estos problemas existen y de que están bloqueando nuestro camino hacia la autorrealización. Un tercer ojo bloqueado puede causar los siguientes problemas:

- Confusión e incertidumbre
- Celos
- Pesimismo y cinismo

Por otro lado, una glándula pineal plenamente funcional nos ayuda a percibir la realidad de forma más positiva. Experimentamos una mayor claridad, empatía, concentración y decisión. Nuestros poderes intuitivos también reciben un impulso considerable.

Desde el punto de vista metafísico, el tercer ojo es la puerta de entrada al reino de los psíquicos. Está relacionado con la clarividencia, la telepatía, la proyección astral y los sueños lúcidos. Cuando su tercer ojo está activado y es totalmente funcional, la dualidad entre el espíritu y el yo desaparece por completo. Puede despertar el chakra del tercer ojo para experimentar el mundo metafísico y realizar las siguientes actividades:

- Esté consciente dentro de su sueño.
- Camine entre realidades.
- Vea más allá de las limitaciones humanas.

Calcificación de la glándula pineal

La calcificación es la acumulación de cristales de fosfato de calcio. Puede producirse en varias partes del cuerpo, incluyendo las arterias, las válvulas del corazón, las articulaciones y los tendones, e incluso los tejidos blandos como los senos. La glándula pineal es la que más se calcifica en comparación con cualquier otro órgano del cuerpo humano. Las razones de la calcificación son muchas, entre ellas:

- Si su tercer ojo es poco utilizado
- Si su dieta es rica en calcio y flúor
- Envejecimiento
- Actividad metabólica de la glándula pineal
- Condiciones médicas crónicas como Alzheimer, migraña, esquizofrenia, enfermedades renales, etc.

A menudo, la calcificación puede estar causada por la presencia de diversas toxinas en los productos que utilizamos a diario, como el flúor, los aditivos, los edulcorantes artificiales y los azúcares. Además, la radiación de los teléfonos móviles y otros dispositivos electrónicos puede dañar o comprometer la función de la glándula pineal.

Vigile las distintas fuentes de flúor y evítelas. El agua del grifo es una fuente de flúor que a menudo se pasa por alto. Añadir filtros a los grifos y fregaderos es una buena forma de evitar que el flúor del agua del grifo se introduzca en el organismo. Muchos tipos de pasta de dientes también contienen flúor. Otros alimentos y bebidas con un contenido excesivo de flúor son los productos inorgánicos y las bebidas artificiales, elaboradas siempre con agua impura.

Cómo activar el tercer ojo

Existen múltiples métodos para activar el tercer ojo o la glándula pineal, incluyendo la meditación, la contemplación del sol, el Qigong, el uso de psicodélicos y la inducción de ondas cerebrales. Es vital saber que la activación del tercer ojo no debe tomarse a la ligera. Un tercer ojo hiperactivo realizado sin la supervisión de expertos cualificados puede provocar delirios, alucinaciones en la vigilia y esquizofrenia.

También existe la creencia de que el tercer ojo se abrirá de forma natural cuando la persona esté preparada para ello. Sin embargo, en los tiempos modernos, es poco probable que se produzcan estas situaciones (que suelen darse en místicos y ermitaños que viven solos lejos de la civilización). Por lo tanto, es mejor activar el tercer ojo con precaución y cuidado.

Al igual que los psicodélicos, algunos métodos nunca deben realizarse por cuenta propia, especialmente en la etapa de principiante. Este capítulo tratará de métodos de activación relativamente seguros, concretamente la meditación y la contemplación del sol, aunque la contemplación del sol también puede ser considerada como inusual y peligrosa por algunas personas. Sin embargo, si tiene interés en activar el chakra del tercer ojo y ha practicado lo suficiente las técnicas de limpieza y equilibrio que se explican en este libro, podría tener sentido aceptar este reto.

Meditación - Esta es la técnica más tradicional para activar cualquier chakra, incluido el del tercer ojo. La meditación debe ser realizada por cualquier persona que quiera acceder a su potencial superior. La meditación es especialmente importante para la glándula pineal porque es susceptible a las señales bioeléctricas de la luz en un entorno oscuro. La meditación activa estas señales bioeléctricas, y cuanto más practique, más fácil le resultará dirigirlas para activar y estimular la glándula pineal.

Sin embargo, todos sabemos que es casi imposible "dejar la mente completamente en blanco". Para que cualquier meditación tenga éxito, primero hay que aquietar la mente por completo para que la energía dispersa por todo el sistema corporal y mental se consolide. Es un reto enorme, enorme, para los principiantes.

La alternativa es mirar y observar sus pensamientos en silencio, sin interferir, para que la mente se aquiete por sí misma. Acallar la mente requiere que no hagamos ningún esfuerzo. Solo tenemos que estar en silencio y dejar que nuestros pensamientos fluyan libremente. Utilice los siguientes pasos para la meditación del tercer ojo:

- Siéntese cómodamente en una posición relajada.
- Cierre los ojos. Si no desea cerrar los ojos por completo, baje los párpados para mirar hacia abajo en un punto focal concreto. La idea es no tener ni introducir distracciones visuales.
- Simplemente respire con normalidad, sin forzar nada. Simplemente mire y observe su respiración natural. Cuando observe en silencio sin forzar nada, su respiración se ralentizará automáticamente.
- Centre su atención en la región del tercer ojo. No debe forzarse a hacer nada. Solo relájese y haga lo que le resulte natural.
- Imagine que respira una luz blanca en la región del tercer ojo. Visualice que esta zona brilla intensamente por la luz blanca.
- Deje ir todas las expectativas, esperanzas, deseos, dolores, decepciones y todo lo demás. Relájese y no haga nada más que respirar mientras se concentra suavemente en su tercer ojo.
- Eso es todo. El silencio relajado que fluye por su cuerpo y mente tiene el poder de activar su glándula pineal.

Puede ser difícil de creer que esta simple meditación pueda hacer maravillas. Pero lo hace por muchas razones. En primer lugar, su atención está en la región del tercer ojo, lo que significa que está dirigiendo su energía interna a este lugar. El estado de relajación impulsa la liberación y producción de neuropéptidos y óxido nítrico, que aumentan el estado de relajación y calma. El óxido nítrico y los neuropéptidos le permiten entrar en un estado de meditación más profundo, estimulando el tercer ojo.

Un estudio de investigación fue realizado por un equipo de médicos del Instituto Nacional de Salud Mental y Neurociencias. El trabajo, titulado "La meditación y su función reguladora del sueño", se publicó en la revista **PMC**. Este estudio demostró que las personas que meditaban tenían una mayor producción de melatonina, lo que demuestra que la meditación influye directamente en el funcionamiento de la glándula pineal, el órgano responsable de la producción y liberación de esta hormona vital.

Contemplación del sol - Aunque la reputación sobre los peligros de la contemplación al sol puede preocuparle un poco, se dará cuenta de que superar este miedo es un pequeño precio a pagar por los enormes beneficios que ofrece esta técnica. Esta es una antigua y poderosa técnica basada en la teoría de que, al contemplar el sol, la piel y los ojos absorben directamente su energía.

Esta actividad no requiere más que mirar directamente al sol. Mirar al sol cuando sale o cuando se pone puede ser una buena idea. Hay otra razón para contemplarlo al amanecer o al atardecer. Los rayos UV son casi nulos en ese momento. La preocupación por la sobreexposición a los rayos UV es lo que hace que mucha gente tenga miedo de hacerlo. Siga los siguientes pasos para observar el sol:

- Lo mejor es contemplar el sol en la hora de su salida y en la última hora del atardecer, cuando tiene un tono anaranjado. No lo mire en ningún otro momento.
- Una buena rutina sería contemplar el sol durante los primeros 15 minutos de su salida y los últimos 15 minutos antes de que se ponga.

• Al principio, debe contemplarlo solo un par de segundos. A continuación, puede aumentar lentamente la duración y llegar a 45 minutos al día. Debe tomarse su tiempo para aumentar la duración a un tiempo tan prolongado.

• Si realiza esta actividad estando descalzo, también estará añadiendo los beneficios del enraizamiento a su cuerpo.

Incluso si no le interesa seguir una rutina estricta cada día, puede simplemente contemplar el sol a primera hora de la mañana o a última de la tarde para empaparse de su energía. Incluso esta simple mirada puede activar su glándula pineal.

Los cristales también despiertan el tercer ojo. Meditar con ellos, dormir con ellos o llevar cristales curativos específicos para el tercer ojo, le ayuda a alinearse con las energías curativas y a despertar la glándula pineal. Estos son algunos cristales que funcionan de forma excelente para el chakra ajna:

Apatita azul - Este cristal activa los chakras de la garganta y del tercer ojo. Le ayuda a adueñarse de la verdad, a responsabilizarse de ella y a dotarse de la capacidad de articulación necesaria para expresarla sin miedo. También es muy bueno para desarrollar las habilidades psíquicas, ya que le permite profundizar en los reinos místicos que se encuentran más allá del plano humano de la conciencia.

Lepidolita - Este cristal le ayuda a tener control sobre su forma de pensar y analizar en exceso. Las personas con cerebros hiperactivos e inquietud mental pueden aprovechar el poder calmante y tranquilizador de la lepidolita. Libera el dolor de los traumas del pasado para que puedas vivir su vida actual sin compromisos y sin miedo.

Lapislázuli - Este hermoso cristal se ha utilizado desde la antigüedad por su capacidad para ayudar a comprender e interpretar los sueños. Estimula la mente superior y despeja el camino para el despertar espiritual. Tiene el poder de dar una visión de las verdades ocultas: un aspecto muy necesario para el despertar del tercer ojo.

Señales del despertar del tercer ojo

Por lo tanto, una buena pregunta en este punto sería: ¿hay señales evidentes de que el tercer ojo se ha activado? Y sí, hay varias señales. Profundicemos un poco más para entenderlo.

Aumento de la presión en la cabeza - Si su tercer ojo está activado a un nivel razonable, sentirá una ligera presión en esa región. A veces, puede ser una sensación pulsante en el lugar del tercer ojo. La sensación parecerá un poco extraña al principio porque puede parecer que un pequeño corazón está latiendo allí.

También puede sentir que algo está creciendo en la zona del tercer ojo. A veces, la sensación será un calor inexplicable, como si alguien estuviera tocando ese punto. No hay razón para preocuparse por estas sensaciones, ya que son benignas y desaparecerán a medida que aumente con la práctica su capacidad para manejar un tercer ojo despierto. Es esencial ser consciente de que es probable que tenga este tipo de experiencias para que no se asuste por ellas.

Mayor sensibilidad a la luz - Cuando su tercer ojo se despierta y se expande, usted está facultado para ver el mundo bajo una nueva luz. En consecuencia, su sensibilidad a la luz "ordinaria" aumenta. Le resultará fácil discernir entre varias tonalidades del mismo color de forma vívida y clara, independientemente de su gran parecido. Su sensibilidad general a la visión y a la luz recibe un gran impulso.

Mayor previsión - Su capacidad para prever acontecimientos futuros podría aumentar repentinamente. Esta previsión puede adoptar la forma de señales sutiles. Por ejemplo, puede que simplemente sienta un ligero tirón en el estómago justo antes de firmar un acuerdo. Es probable que algo no vaya bien.

No debe pasar por alto estas señales sutiles. Podrían ser el reinicio de sus poderes intuitivos dormidos. Cuanto más se sintonice con su intuición, más aumentará su poder. Para los principiantes puede resultar espeluznante que algo que preveía se haga realidad.

Recuerde que no hay nada que temer. La intuición es algo con lo que todos nacemos. Es un regalo de lo divino. Lamentablemente, hemos perdido nuestra conexión con ella. Además, usted controla su intuición y no al revés. Por lo tanto, acérquese a ella y aproveche su capacidad para ayudarle a llevar una vida más satisfactoria y significativa que antes.

Cambios positivos graduales - A medida que aumenta su relación con su tercer ojo, su personalidad y su comportamiento en general experimentan cambios significativos, la mayoría de ellos de forma gradual pero constante. Con un tercer ojo activo, está en sintonía con su ser espiritual. Su mundo físico está alineado con su mundo espiritual. Esta alineación aporta innumerables beneficios, entre los que se encuentran los siguientes:

• Usted es más tranquilo, más indulgente y compasivo que antes.

• Se aleja de los alimentos procesados y adopta los productos orgánicos, lo que, a su vez, da más poder a su tercer ojo.

Curiosamente, no comprenderá las causas fundamentales de estos cambios porque no están en el mundo tangible. Los cambios son provocados por un tercer ojo despierto y una poderosa intuición. Estos le impulsan a tomar decisiones de estilo de vida saludables desde la mente subconsciente. Siga estos cambios porque reflejan un tercer ojo despierto.

Ver y leer más allá de lo evidente - Un tercer ojo activo puede detectar las mentiras, las medias mentiras y la falta de autenticidad. Las personas engañosas nunca podrán convencerle de sus intenciones aparentemente nobles porque usted puede ver a través de su fachada. Del mismo modo, los restaurantes y las tiendas que ofrecen "descuentos y ofertas increíbles" no le impresionan en absoluto. Esta capacidad será la base sobre la que podrá tomar decisiones sensatas y correctas.

Manifestación de poderes psíquicos - Las personas con un tercer ojo activo suelen tener una capacidad psíquica muy poderosa. Pueden utilizar la telepatía y la clarividencia para prever lo que la gente corriente no puede ver. Al entrar en contacto con su tercer ojo, estos poderes psíquicos también podrían manifestarse. Recuerde que no debe asustarse por ello. Abrace estos poderes de todo corazón y aliméntelos. De hecho, una vez que sepa que tiene estos poderes, entonces debe usarlos para el bienestar de los demás.

Sentido de la identidad propia aumentado - Usted deja de verse a sí mismo como un conjunto de rasgos de personalidad, fortalezas, debilidades, etc. Se ve a sí mismo como parte de algo vasto y más allá del control de los seres humanos. Ve a todos los que le rodean como parte de algo mucho, mucho más grande de lo que pueden imaginar.

Este poderoso conocimiento le da un elevado sentido de sí mismo. El conocimiento de que usted es parte de todo el tejido cósmico hace que su ego desaparezca por completo y, junto con él, la mezquindad y la miopía. Usted utiliza su tiempo y energía de forma productiva, aprendiendo y desarrollando nuevas y valiosas habilidades en lugar de envolverse en un materialismo mezquino. Saber que es parte del universo le da un fuerte sentido de independencia, y deja de depender de otros para hacer algo por usted. Empieza a confiar en usted mismo para alcanzar sus sueños porque sabe que tiene acceso a un suministro ilimitado de todo lo que desea del cosmos.

Recuerde que tener experiencias a causa de un tercer ojo despierto puede ser desalentador, confuso y aterrador. Saber cómo afrontarlas es vital para que no le abrumen, o peor aún, le asusten tanto que deje de intentar despertar su tercer ojo.

Mientras trabaja en esta tarea descomunal, sus sesiones de meditación y otras actividades calmantes le ayudarán a acercarse a su ser espiritual, cuyos beneficios son tremendos. Así que, en lugar de desviarse del camino correcto, recuerde enfrentar sus temores con fuerza y coraje porque las cosas buenas suceden al otro lado del miedo y la confusión.

El tercer ojo y las habilidades psíquicas

Como ya se ha mencionado, una persona con un tercer ojo despierto suele estar dotada de habilidades psíquicas. Las dos habilidades psíquicas más comunes que la gente desarrolla son la clarividencia y la telepatía.

¿Qué es la clarividencia? La clarividencia proviene de dos palabras francesas, que se traducen como "visión clara". A través de la percepción extrasensorial, una persona puede reunir información sobre una persona, un objeto, un acontecimiento o una ubicación física. En pocas palabras, la clarividencia es la capacidad de ver a través de los ojos de la mente. Una persona así se llama clarividente. Reciben información que se transmite de forma intuitiva. Se considera una capacidad paranormal.

Las glándulas pineal y pituitaria desempeñan un papel importante en las capacidades clarividentes. Los científicos modernos todavía están tratando de descubrir y comprender la función fisiológica de estas dos glándulas, especialmente la glándula pineal. Sin embargo, los antiguos místicos saben desde hace tiempo que la glándula pineal es un puente entre el mundo físico y el espiritual. Por lo tanto, si su tercer ojo está completamente activo, entonces puede convertirse en un clarividente.

Debe empezar por eliminar las ideas despectivas sobre el poder de la clarividencia. Muchos creen que es algo que solo existe en las películas e historias de ficción. Sin embargo, miles de personas en el mundo real han aprovechado esta habilidad y han hecho muchas cosas buenas para ellos mismos y para los demás.

La clarividencia se manifiesta para diferentes personas de distintas maneras. Para algunas personas, un objeto o la discusión de un tema concreto pueden desencadenar una visión clara. Por ejemplo, una conversación casual sobre béisbol puede desencadenar una idea de un acontecimiento horrible que le ocurrirá a un jugador de béisbol o a alguien relacionado con el juego.

Otra posibilidad es que alguien vea la hora en el reloj y tenga una visión de un acontecimiento que debe ocurrir simultáneamente otro día en el futuro. Algunos clarividentes tienen visiones en sus sueños. Esta "visión clara" es vista por los clarividentes como una imagen en su tercer ojo. Esta visión, como ya sabe, es el sexto sentido o vista espiritual. El don de la clarividencia se clasifica en tres tipos diferentes:

- Visión remota - Se trata de la percepción de acontecimientos y personas contemporáneas que tienen lugar lejos de la ubicación del clarividente. Por ejemplo, una madre clarividente podría tener una visión repentina de algo malo que le ocurre a su hijo que está en la escuela.
- Precognición - Este tipo de clarividencia se refiere a la capacidad de una persona de tener visiones de eventos y/o personas futuras.
- Retrocognición - En este tipo, los clarividentes pueden ver eventos pasados como imágenes dentro de su tercer ojo.

Cómo estimular sus habilidades de clarividencia

La clarividencia es probablemente la capacidad psíquica más conocida y comentada. La mayoría de la gente se refiere a la clarividencia como "la habilidad psíquica". La telepatía y otras habilidades no son tan populares. La clarividencia es una habilidad innata latente en todos nosotros porque todos estamos interconectados por haber venido de la misma fuente divina. Por lo tanto, es posible intercambiar mensajes e información en planos sutiles de conciencia. Sin embargo, para ello, es necesario trabajar en la activación del poder latente de la clarividencia.

Aumentar el uso de sus poderes intuitivos - Cuando confía y utiliza más su intuición, está despertando y fortaleciendo su tercer ojo, lo que repercute directamente en sus habilidades de clarividencia.

Sea creativo - La creatividad es un aspecto vital del tercer ojo. Por lo tanto, sea creativo, conecte profundamente con su creatividad, que despertará y desarrollará la energía de su glándula pineal.

Viva con atención - La práctica de la atención plena agudiza su capacidad de observación. Con una práctica repetida y diligente, su capacidad de observar todo lo que le rodea a un nivel más profundo que con el uso de sus cinco sentidos recibirá un gran impulso. Esto, a su vez, estimulará y desarrollará su tercer ojo y, en consecuencia, su poder de clarividencia también mejorará.

Aquí hay dos juegos sencillos que puede hacer para mejorar sus habilidades psíquicas:

Juego 1 - Entre en una habitación desconocida y mire rápidamente a su alrededor para ver qué contiene. Dedique solo 30 segundos a esta parte. A continuación, salga de la habitación y anote todo lo que recuerde haber visto en ella. Cierre los ojos e intente revivir esos 30 segundos, esta vez a cámara lenta.

- ¿Puede recordar los títulos de algunos de los libros de la sala?
- ¿Y las obras de arte?
- ¿De qué color eran las paredes?
- ¿Qué tipo de muebles había?
- ¿Había otras personas en la habitación? ¿Puede describirlas?

Este juego se basa en el poder de su imaginación. Absorber información y convertirla en un formato que pueda recordar fácilmente más tarde es una excelente manera de mejorar su imaginación y, en consecuencia, sus habilidades psíquicas. Su intuición también se alimenta de señales físicas, aunque a niveles mucho más sutiles que el mundo físico bruto.

Juego 2 - Cierre los ojos y visualice un hermoso y gran arcoíris en el cielo. Observe los siete colores del arcoíris durante un rato mientras respira suavemente y se relaja por completo. A continuación, concéntrese en la capa violeta más externa. Imagine que esta capa se separa del arcoíris y encuentra su propio lugar en una parte del vasto cielo.

A continuación, dirija su atención al siguiente color, el índigo, y visualice que esta capa se desprende del arcoíris y encuentra su propio lugar en las cercanías. De este modo, recorra los siete colores y obsérvelos mientras se encuentran en sus respectivos lugares separados.

Cuando esté satisfecho con esta visión, imagine que ocurre lo contrario. Visualice cada una de las capas volviendo a formar el arcoíris completo en el ojo de su mente. Este juego le ayuda a eliminar los bloqueos en su tercer ojo.

Por último, meditar con regularidad es un aspecto crucial para activar y despertar el chakra del tercer ojo. Basta con seguir el sencillo procedimiento de meditación indicado en la parte anterior de este capítulo. La regularidad estricta y la repetición son elementos clave para dominar los beneficios de la meditación.

A modo de resumen, he aquí algunas señales que le indican que sus habilidades psíquicas deben ser tomadas en serio:

• Sentirse feliz y con energía después de ver a alguien porque se impregna de la positividad que esa persona emana.

• Sentirse agotado después de conocer a una persona porque se impregna de la negatividad que desprende.

• Ser capaz de ver el futuro y predecir los acontecimientos.

• Saber en lo más profundo de su ser que algo terrible le va a pasar a alguien que le importa y luego descubrir que realmente ha sucedido.

• Ver a personas que ya han fallecido.

• Conocer a las personas sin saber nada de ellas.

Todas estas habilidades pueden ser una gran forma de ayudar a la gente en su vida. Sin embargo, debe recordar que pueden agobiarle si no ha aprendido el arte de controlarlas. Es su vida, y usted debe elegir qué hacer con sus poderes.

Conclusión

En este capítulo final, resumiremos las lecciones de todo el libro. Puede utilizar este resumen como un recordatorio siempre que necesite refrescar sus conocimientos.

Los siete chakras son los principales centros de energía del cuerpo humano. Junto con el aura y el cuerpo físico, estos centros de energía determinan nuestra personalidad, propósito de vida, deseos y necesidades. Ignorar el sistema de chakras es perjudicial para nuestra salud física, mental y emocional. Es vital que, junto con nuestro régimen de acondicionamiento físico, incluyamos un proceso diario breve, sencillo y eficaz para limpiar, despejar y equilibrar nuestro sistema de chakras.

Chakra raíz, el muladhara

Situado en la base de la columna vertebral, el muladhara representa nuestros cimientos. Controla y mantiene las cuestiones de supervivencia, como las necesidades humanas básicas como la comida, el agua, la ropa, el refugio, la independencia financiera, la estabilidad física y la conexión a tierra. Se bloquea si alguno de estos factores se ve amenazado. Está relacionado con el elemento tierra y el color rojo. Se desarrolla entre la edad de 1 a 7 años.

Chakra sacro, el svadhisthana

El chakra sacro es la sede de nuestras emociones y está situado en el vientre bajo, unos 5 centímetros por debajo del ombligo. Controla nuestra sensación de bienestar, abundancia, creatividad y placer. Está relacionado con el elemento agua y el color naranja. Se desarrolla entre los 8 y los 14 años.

Chakra del plexo solar, el manipura

El tercer chakra está relacionado con nuestra autoconfianza, autoestima y autovaloración. Un manipura bloqueado se manifiesta clásicamente en forma de "tener mariposas en el estómago". La vergüenza, la culpa y las dudas sobre uno mismo son signos de un chakra del plexo solar desequilibrado. Está relacionado con el elemento fuego y el color amarillo. Se desarrolla entre los 15 y los 21 años.

Chakra del corazón, el anahata

El chakra del corazón sirve de puente entre los chakras inferior (asociado a la materialidad) y superior (espiritualidad); el anahata se ocupa de nuestra capacidad de dar y recibir amor y compasión incondicionales. Si su chakra del corazón está bloqueado, puede que le resulte difícil abrir su vida al amor. Un chakra del corazón completamente abierto le permite experimentar la empatía y la compasión profunda. Está relacionado con el elemento aire y el color verde. Suele desarrollarse entre los 21 y los 28 años.

Chakra de la garganta, el vishuddha

El poder del chakra de la garganta está en la comunicación y la articulación. Da voz a su chakra del corazón. Un chakra del corazón equilibrado le capacita para recibir y dar amor incondicional. Sin embargo, si su chakra de la garganta está desequilibrado, no tendrá los medios para expresar sus sentimientos de amor y compasión. El chakra de la garganta está relacionado con el sonido, la música y el color azul. Suele desarrollarse entre los 29 y los 35 años.

Chakra del tercer ojo, el ajna

A medida que se asciende en la jerarquía de chakras, se está cada vez más cerca de lo divinidad cósmica. El chakra del tercer ojo está facultado para ver el "panorama general" y revelarnos el propósito de nuestra vida. Cuando su chakra ajna está equilibrado, su capacidad para obtener conocimientos sobre asuntos filosóficos y espirituales complejos es considerablemente alta.

Puedes pensar en el chakra del tercer ojo como los ojos de su alma. Lo que ve y experimenta en el mundo exterior se interpreta a través de los ojos de la espiritualidad y la divinidad. El chakra ajna está relacionado con el elemento luz y el color púrpura o índigo. Se desarrolla entre los 36 y los 42 años.

Chakra de la corona, el sahasrara

El chakra de la corona se encuentra en la corona de la cabeza y es el último y más alto chakra del sistema energético sutil. Representa nuestra capacidad para fusionarnos y conectarnos con lo divino en última instancia. Muy pocas personas tienen un sahasrara completamente abierto, y tales personas pueden acceder a la conciencia superior.

No está conectado a ningún elemento y, sin embargo, está conectado a todos los elementos. El color blanco o violeta se asocia con el chakra de la corona. Este chakra se desarrolla entre los 43 y los 49 años, una edad en la que es probable que los individuos hayan alcanzado todos sus deseos mundanos y se den cuenta de que la felicidad y la paz van más allá del éxito materialista.

Importancia y beneficios del mantenimiento regular de los chakras

Si mantiene su muladhara limpio, claro y equilibrado, se sentirá seguro y protegido. A largo plazo, encontrará su automotivación en un nivel alto y le resultará más fácil seguir y alcanzar sus sueños sin validación externa. Toda su ansiedad será sustituida por la alegría, la felicidad y la confianza para llevar su vida de la manera que desee.

Un svadhisthana equilibrado y bien mantenido recargará su creatividad sin interrupciones. No experimentará ningún "bloqueo creativo". La innovación y la creatividad se convertirán en una parte integral de su vida. Sus sueños y deseos se volverán claros para usted.

Cuanto más estimule su chakra sacro, más aguda será su capacidad para resolver problemas. En consecuencia, no se encontrará atascado por los retos que le plantea la vida. Además, su energía sexual estará en niveles saludables y deliciosos.

Un manipura equilibrado le permite tener un mejor control sobre sus pensamientos y emociones, lo que, a su vez, traerá positividad a su vida. Las viejas creencias y hábitos limitantes serán eliminados de su subconsciente. Los nuevos y útiles conocimientos sobre el funcionamiento del mundo le permitirán llevar una vida atractiva y feliz, acorde con sus tiempos y necesidades.

Cuando el chakra del corazón esté totalmente abierto y equilibrado, sentirá una abundancia de amor propio y hacia los demás. Tendrá una visión compasiva y objetiva de todo y de todos, incluido usted mismo. Le resultará fácil perdonar. Todos estos elementos te ayudarán a tener relaciones profundas y hermosas.

Cuando su chakra de la garganta esté abierto y equilibrado, no se verá desafiado por situaciones y elecciones difíciles. Sus habilidades de articulación y comunicación le ayudarán a expresarse correcta y claramente, asegurándose de que la gente entienda sus ideas. Sabrá que el universo es un lugar seguro para explorar y descubrir formas de realizar sus sueños y ambiciones.

Un chakra ajna potente le conectará con su intuición, ayudándole a tomar las decisiones correctas incluso sin información precisa. Su sexto sentido será poderoso y las habilidades psíquicas recibirán un gran impulso. Sus miedos y preocupaciones se diluirán en la nada, y podrá llevar una vida verdaderamente auténtica y sin pretensiones.

Un sahasrara equilibrado que funcione a niveles óptimos le permitirá trascender más allá de la realidad física. Podrá experimentar lo sagradamente universal que reside en todos nosotros. Sabrá quién es realmente y cómo encaja su vida en el vasto universo. Se dará cuenta de la verdad de que hay más en el mundo que la realidad que nuestros cinco sentidos pueden experimentar.

Además, se adopta un enfoque múltiple para la limpieza y el equilibrio de los chakras. Se utiliza la meditación, el yoga, las técnicas de respiración, las energías de los cristales y muchos otros factores para elevar la apuesta de su sistema corporal sutil. Cada una de estas técnicas tiene su propio conjunto de ventajas, que serán suyas.

Por lo tanto, tiene sentido dedicar un poco de tiempo y esfuerzo a aprender y dominar el arte de equilibrar y armonizar su sistema de chakras. Los beneficios son demasiado numerosos para ignorarlos. Así que, siga adelante y relea el libro por segunda vez para entender mejor los conceptos. Tome un capítulo a la vez y aplique las sugerencias y consejos prácticos que se dan en él. Asegúrese de tomar sus lecciones, aunque sea lentamente, y aproveche el poder ilimitado de sus chakras.

Vea más libros escritos por Silvia Hill

Referencias

7 Formas sencillas de incorporar la sanación de los chakras a su vida diaria. (2018, 29 de agosto). Diosa de la Salvia. https://www.sagegoddess.com/musings/7-simple-ways-incorporate-chakra-healing/

11 señales de que su chakra del corazón está bloqueado y está interfiriendo en su vida amorosa. (s.f.). Bustle. Extraído de https://www.bustle.com/p/11-signs-your-heart-chakra-is-blocked-its-messing-with-your-love-life-8058873

11 Señales de que su chakra raíz está bloqueado (y arruinando su vida amorosa). (2018, 30 de noviembre). YourTango. https://www.yourtango.com/2018319127/11-signs-your-root-chakra-blocked-and-messing-up-your-love-life

35 poderosas afirmaciones sobre los chakras para una mayor curación y equilibrio - Brett Larkin Yoga. (s.f.). Www.brettlarkin.com. Extraído de https://www.brettlarkin.com/chakra-affirmations-healing-balancing/

Afirmaciones para cada chakra. (s.f.). Goodnet. https://www.goodnet.org/articles/affirmations-for-each-chakra

Ajna Chakra El Despertar del Chakra del Tercer Ojo | Arhanta Yoga Blog. (2020, 7 de octubre). Arhanta Yoga Ashram. https://www.arhantayoga.org/blog/ajna-chakra-your-third-eye-chakra-awakening/

Anahata Chakra - Chakra del Corazón: Autorrealización a través del Amor | Arhanta Blog. (2020, 16 de septiembre). Arhanta Yoga Ashram. https://www.arhantayoga.org/blog/anahata-chakra-heart-chakra-self-realization-through-love/

Mejore sus habilidades psíquicas: El Despertar del Chakra del Tercer Ojo. (2020, 24 de febrero). Por Pinkhearthealing.com. https://www.pinkhearthealing.com/enhance-your-psychic-abilities-the-third-eye-chakra-awakening/

Limpieza de Chakras: Cómo limpiar sus chakras y liberar su energía. (2019, 9 de octubre). Chopra. https://chopra.com/articles/chakra-cleansing-how-to-clear-your-chakras-and-free-your-energy

Limpieza de Chakras: Por qué es importante y cómo hacerla correctamente. (s.f.). Conscious Items. Extraído de https://consciousitems.com/blogs/practice/chakra-cleansing

La clarividencia es la capacidad de ver con los ojos de la mente. (s.f.). Extraído de https://mindcontrolpowers.com/clairvoyance-is-the-ability-of-seen-with-the-mind/

Hierbas limpiadoras para cada chakra. (s.f.). Goodnet. https://www.goodnet.org/articles/cleansing-herbs-for-each-chakra

Chakra de la Corona: La energía divina de Sahasrara Chakra | Arhanta Blog. (2020, 8 de octubre). Arhanta Yoga Ashram. https://www.arhantayoga.org/blog/crown-chakra-divine-energy-of-sahasrara-chakra/

Descalcificación de la glándula pineal: Qué hacer. (2020, 26 de mayo). Healthline. https://www.healthline.com/health/decalcify-pineal-gland#when-to-see-a-doctor

Descubra cuál de sus chakras está bloqueado con este test de 2 minutos. (2020, 12 de noviembre). Mindbodygreen. https://www.mindbodygreen.com/articles/chakra-test

Aceites esenciales para los chakras: Equilibrar y sanar con aromas. (2021, 17 de febrero). Healthline. https://www.healthline.com/health/essential-oils-for-chakras#takeaway

¿Cómo encajan sus chakras en el autoconocimiento? (s.f.). Chakra Lands. Extraído de https://chakralands.com/blog/how-do-your-chakras-fit-into-selfawareness/

Cómo despertar su tercer ojo, también conocido como glándula pineal. (n.d.). Gaia. https://www.gaia.com/article/how-to-awaken-your-third-eye

Cómo equilibrar sus chakras: Una sencilla práctica de autocuidado que puede hacer todos los días | Mindfulness. (s.f.). 30Seconds Health. Extraído de https://30seconds.com/health/tip/15394/How-to-Balance-Your-Chakras-A-Simple-Self-Care-Practice-You-Can-Do-Every-Day

Cómo limpiar sus chakras usando cristales. (2015, 28 de septiembre). The Sacred Wellness School of Healing Arts - Edmonton Reiki Training, Crystal Healing & Aromatherapy. https://www.sacredwellness.co/how-to-cleanse-your-chakras-using-crystals/

Cómo saber si su Chakra de la Corona está bloqueado. (s.f.). Mumbles & Things. Extraído de https://www.mumblesandthings.com/blog/2017/5/15/how-to-tell-if-your-crown-chakra-is-blocked

Cómo saber si su Chakra Sacro está bloqueado. (s.f.). Mumbles & Things. Extraído de https://www.mumblesandthings.com/blog/2016/11/7/how-to-tell-if-your-sacral-chakra-is-blocked

Cómo saber si su Chakra del Plexo Solar está bloqueado. (s.f.). Mumbles & Things. Extraído de https://www.mumblesandthings.com/blog/2017/1/2/how-to-tell-if-your-solar-plexus-chakra-is-blocked

Cómo saber si su chakra del tercer ojo está bloqueado. (s.f.). Mumbles & Things. Extraído de https://www.mumblesandthings.com/blog/2017/4/17/how-to-tell-if-your-third-eye-chakra-is-blocked

Cómo saber si su Chakra de la Garganta está bloqueado. (s.f.). Mumbles & Things. Extraído de https://www.mumblesandthings.com/blog/2017/3/27/how-to-tell-if-your-throat-chakra-is-blocked

Instagram, A., y Twitter, A. (s.f.). Chakra Meditation: ¿El secreto para sentirse más tranquilo y con los pies en la tierra? Byrdie. https://www.byrdie.com/chakra-meditation

Introducción al quinto chakra: Chakra de la garganta (Visuddha) | Cuerpo sutil. (2015, 19 de enero). Revista de Yoga. https://www.yogajournal.com/yoga-101/chakratuneup2015-intro-visuddha/

Ji, B. (2019, 9 de diciembre). ¿Qué es la respiración de los chakras y cómo practicarla? Escuela de yoga y meditación Mantra. https://mantrayogameditation.org/what-is-chakra-breathing-and-how-to-practice/

Beneficios del Khechari Mudra, cómo hacerlo y precauciones - Healthoj. (s.f.). Extraído de https://www.healthoj.com/khechari-mudra-benefits-how-to-do-and-precautions/

Lizzy. (2014). 5 Señales de que tiene un bloqueo en el chakra de la garganta y qué hacer al respecto. Chakras.info. https://www.chakras.info/throat-chakra-blockage/

Manipura Chakra: Poderes curativos del Chakra del Plexo Solar | Arhanta Blog. (2020, 3 de septiembre). Arhanta Yoga Ashram.

https://www.arhantayoga.org/blog/manipura-chakra-healing-powers-of-the-solar-plexus-chakra/

McAndrew, P. (2019, 27 de agosto). El canto de los sonidos de los chakras y el sistema nervioso. Evolución Fisioterapia, Yoga. https://www.evolutionvt.com/chanting-the-chakra/

Muladhara Chakra, Chakra Raíz - Guía completa | Arhanta Yoga Blog. (2020, 24 de agosto). Arhanta Yoga Ashram. https://www.arhantayoga.org/blog/all-you-need-to-know-about-muladhara-chakra-root-chakra/

Activación de la Glándula Pineal: Una guía completa para abrir su tercer ojo. (2017, 28 de agosto). Scott Jeffrey. https://scottjeffrey.com/pineal-gland-activation/

RAZONES POR LAS QUE LOS CHAKRAS PUEDEN BLOQUEARSE: Un extracto de CHAKRA HEALING FOR VIBRANT ENERGY por Michelle S. Fondin > New World Library. (s.f.). Www.newworldlibrary.com. Extraído de https://www.newworldlibrary.com/Blog/tabid/767/articleType/ArticleView/articleId/558/REASONS-THE-CHAKRAS-MIGHT-GET-BLOCKED-An-excerpt-from-CHAKRA-HEALING-FOR-VIBRANT-ENERGY-by-Michelle-S-Fondin.aspx#.YGHmv6_7RPY

Sinner, H. C. (s.f.). Signos de que su tercer ojo está empezando a ver. Extraído de https://holycitysinner.com/2020/01/22/signs-your-third-eye-is-starting-to-see/

Svadhishthana - Chakra Sacro: Todo lo que necesita saber | Arhanta Blog. (2020, 26 de agosto). Arhanta Yoga Ashram. https://www.arhantayoga.org/blog/svadhishthana-chakra-all-you-need-to-know-about-the-sacral-chakra/

Taylor, A. (2020, 22 de septiembre). 5 Mejores Posturas de Yoga para el Chakra del Tercer Ojo para Fortalecer su Intuición. Pistas de Taylor. https://www.taylorstracks.com/third-eye-chakra-yoga-poses/

Equipo, M. (2017, 11 de julio). ¿Qué es la meditación de los chakras? Mindworks; Mindworks. https://mindworks.org/blog/chakra-meditation/

El Centro Chopra. (2015, 26 de mayo). El Centro Chopra. https://chopra.com/articles/trust-your-intuition-with-the-sixth-chakra

El Sistema Energético Humano - Su Aura, Chakras y Cuerpos Sutiles. (s.f.). Www.crystalherbs.com. Extraído de https://www.crystalherbs.com/chakras-subtle-bodies.asp

El poder del yoga de los chakras para cambiar su salud. (s.f.). BodyWindow.com. Extraído de https://www.bodywindow.com/chakra-yoga.html

Trish. (2021, 3 de mayo). Cómo cerrar sus Chakras. Luna Holística. https://www.lunacourses.com/how-to-close-your-chakras/

Dos juegos para desarrollar su tercer ojo. (2020, 9 de junio). Dana Childs Intuitiva. https://danachildsintuitiva.com/two-games-to-develop-your-third-eye/

Uddiyana Bandha Paso a Paso. (s.f.). Yogainternational.com. Extraído de https://yogainternational.com/article/view/uddiyana-bandha-step-by-step

Vishuddha Chakra: Cómo equilibrar su chakra de la garganta | Arhanta Blog. (2020, 22 de septiembre). Arhanta Yoga Ashram. https://www.arhantayoga.org/blog/vishuddha-chakra-balance-how-to-balance-your-throat-chakra/

Watts, M. (2018). Chakras Yoga: Equilibrando el cuerpo energético a través de las Asanas. https://www.siddhiyoga.com/chakras-yoga

Qué son los 7 cuerpos sutiles. (2020, 29 de julio). La MENTE ES EL MAESTRO. https://mindisthemaster.com/subtle-bodies/

¿Por qué se bloquean los chakras? (Síntomas de los chakras bloqueados) - MindfulnessQuest. (s.f.). Extraído de https://mindfulnessquest.com/why-do-the-chakras-get-blocked/

El yoga y los chakras. (s.f.). YogaOutlet.com. Extraído de https://www.yogaoutlet.com/blogs/guides/yoga-the-chakras